KB082241

마음의 상처 성희롱, 치유로서의 법학의 대응

-판례를 중심으로-

차수봉

마음의 상처 성희롱, 치유로서의 법학의 대응 -판례를 중심으로-

지은이 차수봉

발 행 2024년 4월 15일
펴낸이 한건희
펴낸곳 주식회사 부크크
출판사등록 2014.07.15.(제2014-16호)
주 소 서울특별시 금천구 가산디지털1로 119 SK트윈타워 A동 305호
전 화 1670-8316
이메일 info@bookk.co.kr

ISBN 979-11-410-8101-0

www.bookk.co.kr

차례

머리말

머리말

상처는 치유가 되기 위해서는 시간이 필요하다. 단순히 시간이 흐른다는 것으로 끝나지 않는다. 자신이 당했던 불쾌한 기억에 대해 부당하고 억울하다는 것을 표출해야 하는 용기도 필요하다.

 성희롱은 성과 관련된 말과 행동으로 상대방에게 원하지 않은 불쾌감이나 굴욕감을 주는 행위를 말한다. 상대방의 신체부위를 만지는 육체적 성희롱 뿐 아니라 외모에 대한 평가, 성적인 정보를 의도적으로 유포하는 행위, 성적 관계를 강요하거나 회유하는 행위, 음란한 내용의 전화통화 뿐 아니라 외설적인 사진과 낙서, 그림등을 보여주거나 전송하는 행위, 성과 관련된 자신의 특정 부위를 고의적으로 노출하거나 만지는 행위 등을 포괄하는 범죄행위를 뜻한다.

오늘날 남녀고용평등과 일·가정 양립지원에 관한 법률, 성발전 기본법, 국가인권위원회 법 등에서 성희롱 방지를 위한 규정을 두고 있다.
 이 규정에 대한 이해도 필요하겠지만, 판례를 통해 성희롱에 대한경각심을 갖었으면 한다.

2024. 4. 12. 연구실에서

제 1 장

1. 성희롱의 정의

성희롱이란 업무, 고용, 그 밖의 관계에서 국가기관·지방자치단체, 각급 학교, 공직유관단체 등 공공단체의 종사자, 직장의 사업주·상급자 또는 근로자가 ① 지위를 이용하거나 업무 등과 관련하여 성적 언동 또는 성적 요구 등으로 상대방에게 성적 굴욕감이나 혐오감을 느끼게 하는 행위, ② 상대방이 성적 언동 또는 요구 등에 따르지 아니한다는 이유로 불이익을 주거나 그에 따르는 것을 조건으로 이익 공여의 의사표시를 하는 행위를 하는 것을 말한다[양성평등기본법 제3조 제2호, 남녀고용평등과 일·가정 양립 지원에 관

마음의 상처 성희롱, 치유로서의 법학의 대흥

한 법률 제2조 제2호, 국가인권위원회법 제2조 제3호 (라)목 등 참조].

여기에서 '성적 언동'이란 남녀 간의 육체적 관계나 남성 또는 여성의 신체적 특징과 관련된 육체적, 언어적, 시각적 행위로서 사회공동체의 건전한 상식과 관행에 비추어 볼 때, 객관적으로 상대방과 같은 처지에 있는 일반적이고도 평균적인 사람으로 하여금 성적 굴욕감이나 혐오감을 느끼게 할 수 있는 행위를 의미한다.

2. 성희롱의 성립요건

성희롱이 성립하기 위해서는 행위자에게 반드시 성적 동기나 의도가 있어야 하는 것은 아니지만, 당사자의 관계, 행위가 행해진 장소 및 상황, 행위에 대한 상대방의 명시적 또는 추정적인 반응의 내용, 행위의 내용 및 정도, 행위가 일회적 또는 단기간의 것인지 아니면 계속적인 것인지 등의 구체적 사정을 참작하여 볼 때, 객관적으로 상대방과 같은 처지에 있는 일반적이고도 평균적인 사람으로 하여금 성적 굴욕감이나 혐오감을 느낄 수 있게 하는 행위가 있고, 그로 인하여 행위의 상대방이 성적 굴욕감이나 혐오감을 느꼈음이 인정되어야 한다.

3. 직장내 성희롱

남녀고용평등과 일·가정 양립 지원에 관한 법률 제12조는 "사업주, 상급자 또는 근로자는 직장 내 성희롱을 하여서는 아니 된다."라고 정하여 직장 내 성희롱을 금지하고 있고, 같은 법 제2조 제2호는 '직장 내 성희롱'을 "사업주·상급자 또는 근로자가 직장 내의 지위를 이용하거나 업무와 관련하여 다른 근로자에게 성적 언동 등으로 성적 굴욕감 또는 혐오감을 느끼게 하거나 성적 언동 또는 그 밖의 요구 등에 따르지 아니하였다는 이유로 근로조건 및 고용에서 불이익을 주는 것"으로 정의하고 있다.

남녀고용평등과 일·가정 양립 지원에 관한 법률 시행규칙 제2조 [별표 1]은 직장 내 성희롱을 판단하기 위한 기준을 예시하면서 성적인 언동 중 언어적 행위의 하나로 "성적인 사실관계를 묻거나 성적인 내용의 정보를 의도적으로 퍼뜨리는 행위"를 들고 있고, "성희롱 여부를 판단하는 때에는 피해자의 주관적 사정을 고려하되, 사회통념상 합리적인 사람이 피해자의 입장이라면 문제가 되는 행동에 대하여 어떻게 판단하고 대응하였을 것인가를 함께 고려하여야 하며, 결과적으로 위협적·적대적인 고용환경을 형성하여 업무능률을 떨어뜨리게 되는지를 검토하여야 한다."라고 정하고 있다.

'성적 언동'이란 남녀 간의 육체적 관계 또는 남성이나 여성의 신체적 특징과 관련된 육체적, 언어적, 시각적 행위로서, 사회공동체의 건전한 상식과 관행에 비추어 볼 때 객관적으로 상대방과 같은 처지에 있는 일반적이고도 평균적인 사람으로 하여금 성적 굴욕감이나 혐오감을 느끼게 할 수 있는 행위를 뜻한다. 성희롱이 성립하기 위해서 행위자에게 반드시 성적 동기나 의도가 있어야 하는 것은 아니지만, 당사자의 관계, 행위가 행해진 장소와 상황, 행위에 대한 상대방의 명시적 또는 추정적인 반응의 내용, 행위의 내용과 정도, 행위가 일회적 또는 단기간의 것인지 아니면 계속적인 것인지 등 구체적인 사정을 참작하여 볼 때 성적 언동 등으로 상대방이 성적 굴욕감이나 혐오감을 느꼈다고 인정되어야 한다. 그러한 성적 언동 등에는 피해자에게 직접 성적 굴욕감 또는 혐오감을 준 경우뿐만 아니라 다른 사람이나 매체 등을 통해 전파하는 간접적인 방법으로 성적 굴욕감 또는 혐오감을 느낄 수 있는 환경을 조성하는 경우도 포함된다.

'지위를 이용하거나 업무와 관련하여'라는 요건은 포괄적인 업무관련성을 나타낸 것이다. 업무수행 기회나 업무수행에 편승하여 성적 언동이 이루어진 경우뿐만 아니라 권한을 남용하거나 업무수행을 빙자하여 성적 언동을 한 경우도 이에 포함된다. 어떠한 성적 언동이 업무관련성이 인정되는지는 쌍방 당사자의 관계, 행위가 이루어진 장소와 상황, 행위 내용과 정도 등 구체적인 사정을 참작해서 판단해야 한다.

4. 성적 표현행위의 위법성판단

모든 국민은 인간으로서의 존엄과 가치를 가지며 행

복을 추구할 권리가 있고 이를 실현하기 위하여는 개개인이 갖는 인격적 이익 내지 인격권은 법에 의하여 존중되고 보호되어야 한다. 특히 남녀관계에서 일방의 상대방에 대한 성적 관심을 표현하는 행위는 자연스러운 것으로 허용되어야 하지만, 그것이 상대방의 인격권을 침해하여 인간으로서의 존엄성을 훼손하고 정신적 고통을 주는 정도에 이르는 것은 위법하여 허용될 수 없는 것이다.

 그리고 어떤 성적 표현행위의 위법성 여부는, 쌍방 당사자의 연령이나 관계, 행위가 행해진 장소 및 상황, 성적 동기나 의도의 유무, 행위에 대한 상대방의 명시적 또는 추정적인 반응의 내용, 행위의 내용 및 정도, 행위가 일회적 또는 단기간의 것인지 아니면 계속적인 것인지 여부 등의 구체적 사정을 종합하여, 그것이 사회공동체의 건전한 상식과 관행에 비추어 볼 때 용인될 수 있는 정도의 것인지 여부, 즉 선량한 풍속 또는 사회질서에 위반되는 것인지 여부에 따라 결정되어야 할 것이다. 그리고 상대방의 성적 표현행위로 인하여 인격권의 침해를 당한 자가 정신적 고통을 입는다는 것은 경험칙상 명백하다 할 것이다.

성적 표현행위의 위법성 여부는 쌍방 당사자의 연령이나 관계, 행위가 행해진 장소 및 상황, 성적 동기나 의도의 유무, 행위에 대한 상대방의 명시적 또는 추정적인 반응의 내용, 행위의 내용 및 정도, 행위가 일회적 또는 단기간의 것인지 아니면 계속적인 것인지 여부 등의 구체적 사정을 종합하여, 그것이 사회공동체의 건전한 상식과 관행에 비추어 볼 때 용인될 수 있는 정도의 것인지 여부 즉 선량한 풍속 또는 사회질서에 위반되는 것인지 여부에 따라 결정되어야 하고, 상대방의 성적 표현행위로 인하여 인격권의 침해를 당한 자가 정신적 고통을 입는다는 것은 경험칙상 명백하다.

5. 성희롱의 증명책임

성희롱을 사유로 한 징계처분의 당부를 다투는 행정소송에서 징계사유에 대한 증명책임은 그 처분의 적법성을 주장하는 피고에게 있다. 다만 민사소송이나 행정소송에서 사실의 증명은 추호의 의혹도 없어야 한다는 자연과학적 증명이 아니고, 특별한 사정이 없는 한 경험칙에 비추어 모든 증거를 종합적으로 검토하여 볼 때 어떤 사실이 있었다는 점을 시인할 수 있는 고도의 개연성을 증명하는 것이면 충분하다. 민사책임과 형사책임은 지도이념과 증명책임, 증명의 정도 등에서 서로 다른 원리가 적용되므로, 징계사유인 성희롱 관련 형사재판에서 성희롱 행위가 있었다는 점을 합리적 의심을 배제할 정도로 확신하기 어렵다는 이유로 공소사실에 관하여 무죄가 선고되었다고 하여 그러한 사정만으로 행정소송에서 징계사유의 존재를 부정할 것은 아니다.

법원이 성희롱 관련 소송의 심리를 할 때에는 그 사건이 발생한 맥락에서 성차별 문제를 이해하고 양성평등을 실현할 수 있도록 '성인지 감수성'을 잃지 않아야 한다(양성평등기본법 제5조 제1항 참조). 그리하여 우리 사회의 가해자 중심적인 문화와 인식, 구조 등으로 인하여 피해자가 성희롱 사실을 알리고 문제를 삼는 과정에서 오히려 부정적 반응이나 여론, 불이익한 처우 또는 그로 인한 정신적 피해 등에 노출되는 이른바 '2차 피해'를 입을 수 있다는 점을 유념하여야 한다. 피해자는 이러한 2차 피해에 대한 불안감이나 두려움으로 인하여 피해를 당한 후에도 가해자와 종전의 관계를 계속 유지하는 경우도 있고, 피해사실을 즉시 신고하지 못하다가 다른 피해자 등 제3자가 문제를 제기하거나 신고를 권유한 것을 계기로 비로소 신고를 하는 경우도 있으며, 피해사실을 신고한 후에도 수사기관이나 법원에서 그에 관한 진술에 소극적인 태도를 보이는 경우도 적지 않다. 이와 같은 성희롱 피해자가 처하여 있는 특별한 사정을 충분히 고려하지 않은 채 피해자 진술의 증명력을 가볍게 배척하는 것은 정의와 형평의 이념에 입각하여 논리와 경험의 법칙에 따른 증거판단이라고 볼 수 없다.

6. 성희롱 사건에서의 성인지 감수성

법원이 성폭행이나 성희롱 사건의 심리를 할 때에는 그 사건이 발생한 맥락에서 성차별 문제를 이해하고 양성평등을 실현할 수 있도록 '성인지 감수성'을 잃지 않도록 유의하여야 한다(양성평등기본법 제5조 제1항 참조).

우리 사회의 가해자 중심의 문화와 인식, 구조 등으로 인하여 성폭행이나 성희롱 피해자가 피해사실을 알리고 문제를 삼는 과정에서 오히려 피해자가 부정적인 여론이나 불이익한 처우 및 신분 노출의 피해 등을 입기도 하여 온 점 등에 비추어 보면, 성폭행 피해자의 대처 양상은 피해자의 성정이나 가해자와의 관계 및 구체적인 상황에 따라 다르게 나타날 수밖에 없다.

따라서 개별적, 구체적인 사건에서 성폭행 등의 피해자가 처하여 있는 특별한 사정을 충분히 고려하지 않은 채 피해자 진술의 증명력을 가볍게 배척하는 것은 정의와 형평의 이념에 입각하여 논리와 경험의 법칙에 따른 증거판단이라고 볼 수 없다.

성희롱 사건의 피해자가 피해사실을 알리고 문제를 삼는 과정에서 오히려 피해자가 부정적인 여론이나 불이익한 처우 및 신분 노출의 피해 등을 입기도 하여 온 점 등에 비추어 보면, 성폭행 피해자의 대처 양상은 피해자의 성정이나 가해자와의 관계 및 구체적인 상황에 따라 다르게 나타날 수밖에 없다.

14

따라서 개별적, 구체적인 사건에서 성폭행 등의 피해자가 처하여 있는 특별한 사정을 충분히 고려하지 않은 채 피해자 진술의 증명력을 가볍게 배척하는 것은 정의와 형평의 이념에 입각하여 논리와 경험의 법칙에 따른 증거판단이라고 볼 수 없다.

위와 같은 법리는, 피해자임을 주장하는 자가 성폭행 등의 피해를 입었다고 신고한 사실에 대하여 증거불충분 등을 이유로 불기소처분되거나 무죄판결이 선고된 경우 반대로 이러한 신고내용이 객관적 사실에 반하여 무고죄가 성립하는지 여부를 판단할 때에도 마찬가지로 고려되어야 한다.

따라서 성폭행 등의 피해를 입었다는 신고사실에 관하여 불기소처분 내지 무죄판결이 내려졌다고 하여, 그 자체를 무고를 하였다는 적극적인 근거로 삼아 신고내용을 허위라고 단정하여서는 아니 됨은 물론, 개별적, 구체적인 사건에서 피해자임을 주장하는 자가 처하였던 특별한 사정을 충분히 고려하지 아니한 채 진정한 피해자라면 마땅히 이렇게 하였을 것이라는 기준을 내세워 성폭행 등의 피해를 입었다는 점 및 신고에 이르게 된 경위 등에 대해서 쉽게 배척하여서는 아니 된다.

제 2 장

도지사의 성희롱 사건

[1] 여성부 남녀차별개선위원회의 구 남녀차별금지및구제에관한법률상 성희롱 결정 및 시정조치권고가 행정소송의 대상이 되는 행정처분에 해당하는지 여부(적극)

[2] 구 남녀차별금지및구제에관한법률 제2조 제2호에 규정된 성희롱의 요건인 업무 관계가 상대방에게 고용상의 불이익 등 직접적인 영향력을 미칠 수 있을 정도의 구체적인 업무 관계에 한정되

마음의 상처 성희롱, 치유로서의 법학의 대흥

는지 여부(소극)

[3] 현직 도지사가 관내 여성 직능단체장을 면담하면서 한 행위가 그 면담의 성격, 당사자들 간의 관계, 면담시간·장소 및 그 행위를 할 당시의 상황, 상대방의 반응, 성적 동기 또는 의도의 유무 등 구체적인 사정을 종합하여 구 남녀차별금지및구제에관한법률상의 성희롱에 해당한다고 한 사례

【판결요지】

[1] 성희롱 행위자로 지목된 자가 자신의 언동이 성희롱에 해당하는지 여부에 관하여 남녀차별개선위원회와 다른 판단을 하고 있음에도 불구하고 남녀차별개선위원회가 그의 언동을 성희롱에 해당한다고 일방적으로 결정한다면,

그와 같은 결정에 의하여 헌법에 의하여 보장받고 있는 그의 인격권이 직접적으로 침해받을 가능성이 있게 되므로, 남녀차별개선위원회의 성희롱 결정으로 인하여 자신의 인격권을 직접적으로 침해받은 국민에게 남녀차별개선위원회를 상대로 행정

소송을 제기하여 그 적법 여부를 다툴 수 있는 기회를 제공함으로써 국민의 기본권으로 보장되는 재판청구권을 보장함이 상당하다 할 것이고,

한편 구 남녀차별금지및구제에관한법률(2003. 5. 29. 법률 제6915호로 개정되기 전의 것)상 공공기관의 장 또는 사용자에 대한 남녀차별개선위원회의 시정조치권고는 권고의 형식을 취하고 있어 그 상대방의 법률상 지위에 직접적인 법률적 변동을 일으키지 아니하는 행정지도의 일종으로 보일 수 있으나 그와 같은 형식에도 불구하고 같은 법은 당해 공공기관의 장 또는 사용자에게 특별한 사유를 소명하지 못하는 한 이를 이행하여야 할 법적 의무와 그 처리결과의 내용을 남녀차별개선위원회에게 통보하여야 할 법적 의무를 동시에 부여하고 있으므로,

남녀차별개선위원회의 시정조치권고는 그 실질에 있어서 상대방에게 법적 의무를 부과함으로써 그 법률상 지위에 변동을 일으키는 것이므로, 남녀차별개선위원회의 같은 법상의 성희롱 결정 및 시정조치권고는 행정소송의 대상이 되는 행정처분에

마음의 상처 성희롱, 치유로서의 법학의 대흥

해당한다.

[2] 구 남녀차별금지및구제에관한법률(2003. 5. 29. 법률 제6915호로 개정되기 전의 것)상의 성희롱은 업무·고용 이외에 기타 관계에서 발생한 것까지 포함하고 있어 그 적용 범위를 업무·고용 관계에 한정하지 않고 있으며,

성희롱으로 인하여 고용상의 불이익을 주거나 고용환경을 악화시킬 것을 요건으로 하지 않고 단순히 성적 굴욕감 또는 혐오감을 느끼게 하는 것만으로 금지대상에 해당한다는 점, 같은 법 제2조 제2호 에서 '그 지위를 이용한다'는 의미는 정당한 이용 이외에 그 권한의 남용도 포함하는 것으로 보아야 한다는 점 등을 감안하면, 같은 법상의 업무 관계는 상대방에게 고용상의 불이익 등 직접적인 영향력을 미칠 수 있을 정도의 구체적인 업무 관계를 의미하는 것으로 한정할 수 없다.

[3] 현직 도지사가 관내 여성 직능단체장을 면담하면서 한 행위가 그 면담의 성격, 당사자들 간의 관계, 면담시간·장소 및 그 행위를 할 당시의 상

황, 상대방의 반응, 성적 동기 또는 의도의 유무 등 구체적인 사정을 종합하여 구 남녀차별금지및구제에관한법률(2003. 5. 29. 법률 제6915호로 개정되기 전의 것)상의 성희롱에 해당한다고 한 사례.

【참조조문】

[1] 구 남녀차별금지및구제에관한법률(2003. 5. 29. 법률 제6915호로 개정되기 전의 것) 제7조, 제28조, 제30조, 제31조, 제33조, 헌법 제10조, 제27조, 행정소송법 제2조 / [2] 구 남녀차별금지및구제에관한법률(2003. 5. 29. 법률 제6915호로 개정되기 전의 것) 제2조 제2호 / [3] 구 남녀차별금지및구제에관한법률(2003. 5. 29. 법률 제6915호로 개정되기 전의 것) 제2조 제2호, 제7조, 제28조

【전문】

【원고】 원고 1
외 1인 (소송대리인 변호사 박영식 외 1인)

【피고】 남녀차별개선위원회 (소송대리인 법무법인 자하연 담당변호사 이유정)

【보조참가인】 보조참가인
(소송대리인 법무법인 새길법률특허사무소 담당변호사 최은순 외 1인)

【주문】
1. 원고들의 청구를 모두 기각한다.
2. 소송비용은 원고들의 부담으로 한다.

【취지】
주위적 청구취지 : 피고가 2002. 7. 29. 원고들에 대하여 한 "1. 원고 1 이 피고 보조참가인(이하 '참가인'이라고만 한다)에게 한 행위는 성희롱으로 결정한다. 2. 원고 제주도는 참가인에게 10,000,000원의 손해배상을 지급하도록 하고, 전 직원을 대상으로 재발방지를 위한 대책을 수립할 것을 권고한다."는 결정을 취소한다.

예비적 청구취지 : 피고가 2002. 10. 21. 원고들

에 대하여 한 "원고들의 이의신청을 모두 기각한
다."는 재결을 취소한다.

【변론종결】
2004. 4. 22.
【이유】

1. 처분의 경위

가. 원고 1 은 제주도지사로 재직하던 사람이고,
원고 제주도는 남녀차별금지및구제에관한법률 제2
조 제3호 소정의 공공기관이며, 참가인은 제주시
에서 미용실 을 운영하면서 2001. 4.경부터 대한
미용사회 제주시지부장으로 재직하던 사람이다.

나. 참가인은 2002. 2. 21. "원고 1 과 원고 1 의
지시를 받은 제주도 소속 공무원의 요청으로 참가
인이 2002. 1. 25. 15:30경 도지사 집무실을 방문
하여 원고 1 과 면담하는 과정에서 원고 1 이 참
가인의 가슴을 만지는 성추행을 하였다."고 주장
하면서 원고들을 피신청인으로 하여 구 남녀차별
금지및구제에관한법률(2003. 5. 29. 법률 제6915

호로 개정되기 전의 것, 이하 '남녀차별금지법'이라 한다)에 의한 시정신청을 하였다.

다. 이에 피고는 남녀차별금지법 제28조 제1항 에 따라 2002. 7. 29. 원고 1 과 참가인과의 면담은 지방자치단체장과 주민 또는 지방자치단체장과 관내 직능단체장이라는 포괄적인 업무관계가 있어 같은 법 제2조 에서 규정하는 업무관련성이 존재하며, 위 면담과정에서 원고 1 이 참가인의 가슴에 손을 대었고,

이는 같은 법 제2조 제2호 에서 규정한 성적 굴욕감 또는 혐오감을 느끼게 하는 성적 언동이라는 이유로 원고들에 대하여 "1. 원고 1 이 참가인에게 한 행위는 성희롱으로 결정한다. 2. 원고 제주도는 참가인에게 10,000,000 원의 손해배상을 지급하도록 하고, 전직원을 대상으로 재발방지를 위한 대책을 수립할 것을 권고한다."는 결정을 하였고(이하 '이 사건 처분'이라 한다), 이에 대하여 원고들이 2002. 8. 27. 이의신청을 하였으며 피고는 2002. 10. 21. 이를 각 기각하는 재결을 하였다(이하 '이 사건 재결'이라 한다).

[인정 근거] 갑 제1호증, 을 제1, 14, 15호증의 각 기재, 변론 전체의 취지

2. 원고들의 주장

원고들은 다음과 같은 이유로 이 사건 처분은 위법하므로 주위적으로 그 취소를 구하고, 만일 그 처분성이 인정되지 아니하는 경우에 한하여 예비적으로 이 사건 재결의 취소를 구한다고 주장한다.

첫째, 공직선거및선거부정방지법상의 공무원 지위를 이용한 선거운동금지조항에서 '공무원이 그 지위를 이용하여'라는 의미는 공무원이 그 공무를 집행함에 즈음하여 선거운동을 하거나 외견상 그 직무에 관련한 행위에 편승하여 선거운동을 함으로써 공무원의 지위에 있음으로 말미암아 선거구민에게 영향을 줄 수 있는 경우도 이에 포함된다고 할 것이나,

사적인 관계를 이용하거나 단순히 공무원으로서의 신분이 있다는 것만을 이용하는 경우는 이에 해당

한다고 할 수 없고, 남녀차별금지법에서의 업무관련성도 위와 동일하게 해석하여야 할 것인바, 원고 1 과 참가인 사이의 면담은 원고 1 이 도지사 신분이 아닌 개인 자격으로 참가인을 만나는 자리였을 뿐, 업무와 관련하여 이루어진 면담이 아니었으며, 원고 1 이 참가인에게 고용상의 불이익 등 직접적인 영향력을 미칠 수 있을 정도로 구체적인 업무관계에 있지 아니하므로 이는 남녀차별금지법에서 규정하는 '업무, 고용 기타 관계'에 해당하지 않는다.

둘째, 원고 1 은 참가인과의 면담 당시 외부에서 걸려온 전화를 받고 집무실과 연결된 비서실에 업무지시를 적은 메모를 전달한 후 자신의 자리로 되돌아가던 중 참가인이 앉은 의자 뒤에서 참가인의 양 어깨에 양손을 얹고 "야, 앞으로 이 오빠도 좀 챙겨라."라고 말을 한 뒤 자리에 앉았으며 면담이 끝난 후 참가인을 출입문까지 배웅하면서 참가인의 양 팔꿈치를 가볍게 붙잡고 "야, 다시 연락해라."라고 말한 사실이 있을 뿐,

참가인의 가슴에 손을 댄 적이 없고, 위와 같이

참가인의 어깨에 손을 얹고 참가인의 뒤에서 양팔을 붙잡는 과정에서 원고 1 의 손이 참가인의 가슴에 닿았을 가능성은 있으나 당시 참가인은 두꺼운 외투를 입고 있고 목도리를 하고 있어 감촉을 전혀 느낄 수 없었던 상황이어서 성희롱으로 볼 만한 행위가 없었으며,

위와 같은 원고 1 의 행동에는 성적인 의미가 전혀 내포되어 있지 않고, 가사 성적인 의미가 포함되어 있다고 하더라도 사회통념상 합리적인 인간이 성적 굴욕감 또는 혐오감을 느끼게 할 정도에 이르지 않았으므로 성희롱에 해당하지 아니한다.

셋째, 피고는 원고들에게 참가인이 제출한 시정신청서를 송달한 바 없고, 원고 1 의 진술을 들은 2002. 7. 29. 당일에 위와 같은 결정을 하였으며, 그 직후 언론에 의결내용을 공표하였고, 남녀차별금지법 제29조 제1항 에 의하여 시정권고를 하기 전에 소속기관의 장에게 의견을 제출할 기회를 주어야 함에도 위 절차를 생략한 채 이 사건 처분을 하였는바, 이 사건 처분은 성희롱 행위자로 지목된 원고 1의 인격권 및 명예권과 참가인의 성적

명예, 인격권 사이에 양 당사자의 이익을 평등하게 형량하지 않고 참가인의 이익만을 보호함으로써 형평의 원칙에 반하고 절차에 위배되어 위법하다.

3. 본안전 항변에 대한 판단

가. 피고의 주장

이 사건 처분은 상대방에게 자발적으로 시정할 것을 권고하는 행정지도로서 시정조치를 권고받은 공공기관의 장이나 사용자가 이를 불이행하는 경우 그 이행을 담보할 어떠한 직접적인 강제수단도 마련되어 있지 아니하여 행정소송의 대상이 되는 행정처분에 해당되지 아니하므로 이 사건 소는 부적법하다.

나. 판 단

(1) 관계 법령

남녀차별금지법 제7조 제3항 은 "성희롱은 남녀차

별로 본다."라고 규정한 다음, 같은 법 제28조 제1항은 "피고는 제22조 의 규정에 의한 조사의 결과 남녀차별사항에 해당한다고 인정할 만한 상당한 이유가 있을 때에는 남녀차별임을 결정하고, 당해 공공기관의 장 또는 사용자에게 시정을 위하여 필요한 조치를 권고하여야 한다."라고 규정하여 피고의 성희롱 결정 및 시정조치권고의 근거를 마련하고 있고, 같은 조 제2항은 " 제1항 의 규정에 의한 시정조치는 다음과 같다.

1. 남녀차별행위의 중지, 2. 원상회복·손해배상 기타 필요한 구제조치, 3. 재발방지를 위한 교육 및 대책수립 등을 위한 조치, 4. 일간신문의 광고란을 통한 공표, 5. 기타 대통령령으로 정하는 사항"이라고 규정하여 시정조치의 구체적 내용을 명시하고 있으며, 같은 법 제30조 는 "피고는 남녀차별의 시정신청에 대한 결정을 신청인 및 당해 공공기관의 장 또는 사용자에게 통지하여야 한다."라고 규정하여 피고의 성희롱 결정 및 시정조치권고의 통보 상대방을 특정하고 있고,

같은 법 제31조 는 "시정조치의 권고를 통보받은

마음의 상처 성희롱, 치유로서의 법학의 대흥

공공기관의 장 또는 사용자는 특별한 사유가 있음을 소명하지 못하는 한 이에 응하여야 하고(제1항), 공공기관의 장 또는 사용자는 시정조치의 권고를 통보받은 날부터 30일 이내에 그 처리결과를 피고에게 통보하여야 한다(제2항)."라고 규정하여 시정조치권고를 받은 공공기관의 장 또는 사용자의 의무조항을 두고 있으며,

같은 법 제33조 는 "피고는 제28조 의 규정에 의한 시정조치의 권고와 제31조 제2항 의 규정에 의한 처리결과의 내용을 공표할 수 있다."고 규정하여 피고에게 일정한 사항에 대한 공표권을 부여하고 있다. 한편, 현행 남녀차별금지법 제30조 제1항 x은 "피고는 남녀차별사항의 시정신청에 대한 결정을 신청인 및 피신청인에게 통지하여야 한다."라고 규정하여 피고의 성희롱 결정 및 시정조치권고의 통보 상대방에 대한 범위를 변경하는 것으로 개정되었다.

(2) 이 사건 결정의 행정처분성

인격권은 헌법 제10조에 의하여 보장되는 기본권

인 인간의 존엄과 가치로부터 유래되어 인정되는 권리로서 그 내용에는 소극적으로 일반 국민은 누구나 사회적 명예나 가치를 침해당하지 않을 권리를 가지고, 적극적으로 국가는 일반 국민에 대하여 그의 사회적 명예나 가치를 보장해 주어야 할 의무를 부담한다는 것을 포함한다고 할 것인데,

이 사건에서와 같이 만약 성희롱 행위자로 지목된 자가 자신의 언동이 성희롱에 해당하는지 여부에 관하여 피고와 다른 판단을 하고 있음에도 불구하고 피고가 그의 언동을 성희롱에 해당한다고 일방적으로 결정한다면, 그와 같은 결정에 의하여 위와 같이 헌법에 의하여 보장받고 있는 그의 인격권이 직접적으로 침해받을 가능성이 있게 된다.

이러한 의미에서 원고 1 이 참가인에게 한 행위를 성희롱에 해당한다고 결정한 피고의 이 사건 결정은 원고 1 의 인격권에 대한 직접적인 침해를 초래할 가능성이 있는 것으로서 행정처분에 해당한다 할 것이다.

또한, 헌법 제27조 제1항 은 "모든 국민은 ······

재판을 받을 권리를 가진다."라고 규정하여 재판청구권을 국민의 기본권으로 선언하고 있고, 그 재판청구권의 내용에는 공권력에 의하여 국민의 권리가 침해된 경우에는 행정소송을 청구할 권리를 보장한다는 것이 포함되어 있다 할 것인데, 위와 같은 피고의 성희롱 결정으로 인하여 자신의 인격권을 직접적으로 침해받은 국민에게 피고를 상대로 행정소송을 제기하여 그 적법 여부를 다툴 수 있는 기회를 제공함으로써 위와 같이 기본권으로 보장되는 그의 재판청구권을 보장함이 상당하다고 할 것이다.

다만, 남녀차별금지법 제30조 는 피고의 성희롱 결정의 통보 상대방을 신청인 및 당해 공공기관의 장 또는 사용자로만 규정하고 있으나, 피고의 성희롱 결정에 의하여 인격권을 직접적으로 침해받는 당사자는 성희롱 행위자로 지목된 자라는 점을 고려할 때,

이는 입법의 불비이거나 당해 공공기관의 장 또는 사용자에 대한 통보로 그에 대한 통보를 갈음하겠다는 취지로 해석함이 상당하고, 이러한 관점에서

현행 남녀차별금지법 제30조 제1항 은 피고의 성희롱 결정의 상대방을 신청인 및 피신청인으로 개정하여 이를 명확히 규정하고 있다.

(3) 이 사건 시정조치권고의 행정처분성
공공기관의 장 또는 사용자에 대한 피고의 시정조치권고는 권고의 형식을 취하고 있어 그 상대방의 법률상 지위에 직접적인 법률적 변동을 일으키지 아니하는 행정지도의 일종으로 보여질 수 있으나 (남녀차별금지법 제28조 제1항),

그와 같은 형식에도 불구하고 남녀차별금지법은 당해 공공기관의 장 또는 사용자에게 특별한 사유를 소명하지 못하는 한 이를 이행하여야 할 법적 의무와(같은 법 제31조 제1항) 그 처리결과의 내용을 피고에게 통보하여야 할 법적 의무를 동시에 부여하고 있으므로(같은 법 제31조 제2항), 피고의 시정조치권고는 그 실질에 있어서 상대방에게 법적 의무를 부담시키는 행정처분이라고 할 것이다.

다만, 당해 공공기관의 장 또는 사용자가 피고의

시정조치권고를 이행하지 않았을 경우, 피고는 시정조치권고와 그 처리결과의 내용을 일반 대중에게 공표하는 방법을 통하여 간접적으로 그 의무이행을 강제할 수 있을 뿐이고(같은 법 제33조) 행정벌을 가하거나 행정상 강제집행 또는 즉시강제 등의 방법을 취할 수 없다는 측면에서 그 실효성 확보에 미흡하다고 할 수 있으나,

행정의 실효성 확보라는 요소가 행정처분성을 결정하는 본질적인 표지라고 할 수 없을 뿐만 아니라 위와 같은 간접적인 강제수단이 마련되어 있다고 할 수도 있으므로, 위와 같은 측면을 들어 피고의 시정조치권고에 대하여 행정처분성을 부인할 수는 없다 할 것이다.

따라서 원고 제주도에게 참가인이 받은 정신적·물질적 피해의 배상과 성희롱에 대한 재발방지대책을 수립·시행하도록 권고한 피고의 이 사건 시정조치권고는 권고의 형식을 취하고는 있지만 원고 제주도에 대하여 법적 의무를 부과함으로써 그 법률상 지위에 변동을 일으키는 행정처분에 해당한다고 할 것이다.

(4) 소 결

결국, 이 사건 처분은 국민의 권리·의무에 직접적으로 변동을 초래하는 행정처분에 해당한다고 할 것이므로, 이 사건 처분이 행정소송의 대상이 되는 행정처분이 아니라는 피고의 위 주장은 이유 없다.

4. 주위적 청구에 대한 판단

가. 인정 사실

갑 제2호증, 갑 제3호증의 3, 갑 제7, 14호증, 갑 제12호증의 1 내지 4, 갑 제20호증의 1, 2, 을 제1 내지 7, 10 내지 12호증, 을 제16호증의 1, 2, 7 내지 25, 27, 을 제17 내지 을 제27호증의 각 기재와 갑 제13호증, 을 제8, 9, 13, 14호증, 을 제16호증의 3, 4, 26의 각 일부 기재 및 증인 오경생의 일부 증언, 이 법원의 현장검증결과에 변론 전체의 취지를 종합하면 다음의 사실을 인정할 수 있고, 이에 어긋나는 갑 제3호증의 1, 2, 45, 갑 제9호증의 각 기재와 갑 제13호증, 을 제8, 9,

13, 14호증, 을 제16호증의 3, 4, 26의 각 일부 기재 및 증인 오경생의 일부 증언은 믿지 아니하며, 갑 제3호증의 4 내지 44, 46 내지 51, 갑 제 4 내지 6, 8호증, 을 제16호증의 5, 6의 각 기재 만으로는 아래 인정을 뒤집기에 부족하고 달리 반증이 없다.

(1) 원고 1 과 참가인의 관계

참가인은 제주시에서 미용실을 운영하면서 1989. 4. 21.부터 1992. 4. 30.까지 및 2001. 4. 25.부 터 2002년경까지 직능단체인 대한미용사회 제주 시지부장을 맡고 있었는데, 1991년경 원고 1 이 제주도지사로 재직할 당시 참가인이 위와 같이 대 한미용사회 제주시지부장으로 재직하고 있는 관계로 공식적인 모임에서 만나 알게 되었고, 그 후 2001. 4. 7. 제주도 보건의 날 행사, 같은 해 11. 14. 제주도 공중위생 5개 단체 체육대회, 2002. 1. 17. 대한미용사회 제주시지부 미용기술세미나 등 공식적인 행사에서 몇 차례 만난 적이 있으며, 원고 1 과 참가인이 개별적으로 만난 사실은 없다.

그런데 원고 1 은 자신보다 나이가 어린 사람을 한두 번 만나면 그 이후부터 존댓말을 하지 않고 반말을 하는 습관이 있어, 참가인을 처음 만날 때부터 존댓말을 쓰지 않고 이름을 바로 불렀고 스스로를 '오빠'라고 호칭하였으며, 참가인은 원고 1 을 '지사님'이라고 불러 왔다.

(2) 원고 1 의 방문 요청
원고 1 은 2002. 1. 17. 대한미용사회 제주시지부 주최 세미나에 비공식적으로 들러 참석자에게 인사하면서 지부장인 참가인에게 원고 1 을 방문하여 달라고 요청하였고, 같은 달 18. 참가인에게 직접 전화하여 도지사실을 방문할 것을 다시 한 번 요청하였으며, 제주도 보건복지여성국장 오경생, 제주도 여성정책과장 이경희로부터 업무보고를 받으면서 이를 지시하여 위 오경생, 이경희가 참가인에게 원고 1 을 방문하여 달라고 요청한 후 참가인과 사이에 2002. 1. 25.로 면담 약속을 하였다.

(3) 2002. 1. 25.자 제1차 면담 및 성희롱 행위

이에 참가인은 2002. 1. 25. 15:10경 제주도지사 집무실을 방문하여 원고 1 과 면담을 하였는데, 위 면담이 이루어진 제주도지사 집무실은 긴 직사각형 형태의 방으로 출입문이 2개로 하나는 비서실과 연결되어 있고 다른 하나는 접견실과 연결되어 있으며, 위 집무실에는 직사각형 형태의 회의용 테이블이 있어 그 한쪽 끝에 원고 1이 앉고 참가인은 비서실로 통하는 문을 등지고 원고 1 과는 테이블 모서리를 사이에 두고 원고 1 의 왼쪽에 90도 각도로 앉아 대화를 나누었다.

그런데 원고 1 이 대화 도중 참가인의 오른쪽 옆으로 다가와 왼손으로는 참가인의 목 뒷부분을, 오른손으로는 어깨를 잡은 후 오른손을 아래로 내려 참가인의 왼쪽 가슴을 만졌고 참가인은 원고 1 의 오른손을 잡아 뿌리쳤다. 그 후 참가인이 면담을 마치고 집무실을 나오려고 하자 원고 1 은 다시 참가인의 뒤로 다가와 두 팔로 참가인을 안으려 하였고 이에 참가인은 원고 1 의 두 손을 잡아 아래로 내렸다.

원고 1 과 참가인은 위 면담 중 참가인이 하는 소록도 위문방문 문제, 자녀대학입학, 한라문화제 만덕제에서의 보건복지여성국장의 태도에 대한 비판, 다른 단체장들의 봉사자세 부족, 원고 1 이 여성단체 행사에서 보이는 행동 등에 관하여 대화를 나누었고, 원고 1 은 면담을 마치면서 참가인에게 향수를 선물하였으며, 참가인은 면담 직후 정무부지사실에서 보건복지여성국장 오경생, 여성정책과장 이경희를 만난 후 돌아갔다.

(4) 제1차 면담 이후의 경과

참가인은 같은 날 참가인 경영의 미용실 내에 있는 피부관리실 원장 문정숙에게, 같은 달 26. 여성정책과장 이경희에게, 같은 달 27. 큰 딸과 김보리나 수녀, 김순선 등에게, 같은 달 29. 친언니인 소외인 에게 위 사실을 이야기하였고, 증거를 확보하기 위하여 녹음을 하기로 한 후, 같은 해 2. 4. 이경희에게 원고 1 과의 면담을 요청하였는데, 같은 날 오후경 원고 1 이 참가인에게 직접 전화를 하여 같은 달 5. 16:00에 면담약속을 하였다.

(5) 2002. 2. 5.자 제2차 면담 및 녹음

참가인은 2002. 2. 5. 16:00경 원고 1 의 집무실을 방문하여 원고 1 모르게 원고 1 과의 대화 내용을 약 22분간 녹음하였는데, 참가인이 "심장이 쿵쾅쿵쾅 뛰고", "지사님, 제 가슴에 손을 넣습니까", "지사님, 그래도 동생으로 생각한다고 해도 어떻게 세상에 제 가슴에 손을 그렇게 넣습니까", "지사님이 처음에 제 가슴에 손을 댔을 때도 제가 지사님 한 번 때렸지예", "두번째에도 그렇게 할 때 제가 두 손 모아 놓고, 지사님한테 우리 모아 놓고 얘기하자고 하지 않았수과예"라고 하면서 원고 1 이 참가인의 가슴을 만졌다는 취지로 수 차례에 걸쳐 항의함에도 이를 부정하거나 자신이 언제 가슴에 손을 넣었느냐고 반문하지 않고 "너 오래간만에 만났고 가깝고 이렇게 하니까 내가 이렇게 한 거지", "동생이 없으니까 어, 그런 생각에서 한 것이지, 다른 사람을 어떻게", "미안하다", "한 대 쥐어박을래. 분풀리게", "그냥 나이 많은 오빠가 요렇게 한 것도 그렇게 나쁜 게 아니야. 좋아서. 어? 다른 의미가 없는 거니까 그지? 내가 무슨 나쁜 생각을 해서 그러면 죄를 받지"라는 등으로 말하였다.

(6) 원고 1 의 고소 등

참가인은 2002. 2. 14.경 제주여민회 부설 여성상담소장 김효선과 상담하였고, 같은 달 21. 피고에게 시정신청을 하였다. 한편, 제주여민회는 같은 날 "원고 1 이 참가인의 블라우스 두 번째 단추를 풀고 가슴을 만지는 성추행을 하였다."고 발표하였다가 같은 달 22. 기자회견을 통하여 블라우스 단추를 겉옷 두 번째 단추로 정정하였다. 이에 원고 1 은 참가인과 제주여민회 공동대표 김경희 및 정책위원장 이경선을 상대로 제주지방검찰청에 원고 1 이 참가인의 가슴을 만진 사실이 없음에도 가슴을 만졌다는 등의 내용으로 기자회견문을 작성함으로써 명예훼손을 하였다는 등의 혐의로 고소하였다.

제주지방검찰청은 2002. 5. 7. 원고 1 의 손이 참가인의 가슴에 닿았던 것은 사실로 보인다고 하면서 참가인 등에 대하여 혐의없음 처분을 하였고,

위 수사과정에서 위 녹음테이프에 대한 대검찰청 기획조정부 과학수사과장의 감정결과 녹음내용에서 인위적으로 조작하거나 편집한 흔적을 발견할 수 없고, 녹음테이프의 내용과 녹취록의 내용은 대부분 일치한다는 사실이 밝혀졌다.

(7) 원고 1 에 대한 형사판결

원고 1 은 2003. 7. 4. 제주지방법원 2002고합190호 공직선거및선거부정방지법위반 사건에서 "참가인이 자신에 대하여 비우호적인 태도를 보이자 제주도지사 선거에서 대한미용사회 제주시지부 조직을 이용하거나 자신에게 호의적인 조직으로 만들고자 평소 친분관계를 바탕으로 참가인을 도지사실로 불러 직접 지지를 호소하기로 마음먹고 2002. 1. 25. 15:30경 참가인에게 '이 오빠도 좀 챙겨라 잉'이라고 말하면서 향수 1병을 제공하여 선거운동기간 전에 선거운동을 함과 동시에 기부행위 제한기간 중에 기부행위를 하였다."는 범죄사실로 벌금 300만 원의 형을 선고받았고, 같은 해 10. 9. 광주고등법원 2003노436호 사건에서 항소기각되었으며, 2004. 4. 27. 대법원 2003도 6653 사건에서 상고기각되어 위 판결이 확정되었 다.

나. 관계 법령

구 남녀차별금지및구제에관한법률 (2003. 5. 29. 법률 제6915호로 개정되기 전의 것)

제1조 (목적)

이 법은 헌법의 남녀평등이념에 따라 고용, 교육, 재화·시설·용역 등의 제공 및 이용, 법과 정책의 집행에 있어서 남녀차별을 금지하고, 이로 인한 피해자의 권익을 구제함으로써 사회의 모든 영역 에서 남녀평등을 실현함을 목적으로 한다.

제2조 (정의)

이 법에서 사용하는 용어의 정의는 다음과 같다.
2. "성희롱"이라 함은 업무, 고용 기타 관계에서 공공기관의 종사자, 사용자 또는 근로자가 그 지

위를 이용하거나 업무 등과 관련하여 성적 언동 등으로 성적 굴욕감 또는 혐오감을 느끼게 하거나 성적 언동 기타 요구 등에 대한 불응을 이유로 고용상의 불이익을 주는 것을 말한다.
3. "공공기관"이라 함은 국가기관·지방자치단체 기타 대통령령이 정하는 공공단체를 말한다.

제7조 (성희롱의 금지 등)

① 공공기관의 종사자, 사용자 및 근로자는 성희롱을 하여서는 아니 된다.
② 공공기관의 장 및 사용자는 대통령령이 정하는 바에 의하여 성희롱의 방지를 위하여 교육을 실시하는 등 필요한 조치를 강구하여야 한다.
③ 성희롱은 남녀차별로 본다.
제21조 (남녀차별사항의 시정신청 등)
① 제3조 내지 제7조의 규정에 위반한 남녀차별로 피해를 입은 자(자연인에 한한다)는 위원회에 이 법에 의한 시정을 신청할 수 있다.

제28조 (시정조치의 권고 및 의견표명)

① 위원회는 제22조의 규정에 의한 조사의 결과 남녀차별사항에 해당한다고 인정할 만한 상당한 이유가 있을 때에는 남녀차별임을 결정하고 당해 공공기관의 장 또는 사용자에게 시정을 위하여 필요한 조치를 권고하여야 한다.

② 제1항의 규정에 의한 시정조치는 다음과 같다.
1. 남녀차별행위의 중지
2. 원상회복·손해배상 기타 필요한 구제조치
3. 재발방지를 위한 교육 및 대책수립 등을 위한 조치
4. 일간신문의 광고란을 통한 공표
5. 기타 대통령령으로 정하는 사항
③ 위원회는 남녀차별사항을 조사·결정하는 과정에서 법령·제도나 정책 등의 개선이 필요하다고 인정되거나 부당한 행위 또는 이 법의 규정을 위반할 우려가 있는 사실을 발견한 때에는 당해 공공기관의 장이나 사용자에게 이에 대한 합리적인 개선을 권고하거나 의견을 표명할 수 있다.

제29조 (의견제출기회의 부여)

위원회는 제28조 제1항의 규정에 의하여 공공기관의 장 또는 사용자에게 시정조치의 권고를 하기 전에 미리 당해 공공기관의 장·사용자·신청인 또는 이해관계인에게 의견을 제출할 기회를 주어야 한다.

구 남녀차별금지및구제에관한법률시행령(2003. 9. 19. 대통령령 제18102호로 개정되기 전의 것)

제23조 (의견제출기회의 부여)
위원회는 법 제29조의 규정에 의하여 의견제출의 기회를 줄 때에는 의견제출의 일시 및 장소 등에 관한 사항을 당해 공공기관의 장·사용자·신청인 또는 이해관계인에게 미리 통지하여야 한다.

다. 판 단

(1) 업무 등과의 관련성에 대한 판단

남녀차별금지법 제2조 제2항 은 "성희롱이라 함은 업무, 고용 기타 관계에서 공공기관의 종사자, 사용자 또는 근로자가 그 지위를 이용하거나 업무 등과 관련하여 성적 언동 등으로 성적 굴욕감 또는 혐오감을 느끼게 하거나 성적 언동 기타 요구 등에 대한 불응을 이유로 고용상의 불이익을 주는 것을 말한다."라고 규정하고 있으므로, 이 사건에서 원고 1 과 참가인 사이의 제1차 면담이 '업무, 고용 기타 관계에서 공공기관의 종사자인 도지사의 지위를 이용하거나 업무 등과 관련'한 것인지 여부에 관하여 살펴 본다.

(가) 먼저, 원고 1 은 현직 도지사였고, 참가인은 제주도 도민이면서 대한미용사회 제주시 지부장으로서 직능단체장의 지위에 있었던 점, 참가인은 원고 1 이 1991년경 제주도지사로 재직 당시 대한미용사회 제주시지부장의 자격으로 공적인 자리에서 만나 알게 된 이후 몇 차례 공식적인 행사에서 만난 적이 있을 뿐, 개별적으로 만난 사실은 없다는 점, 원고 1 이 참가인과 대화를 할 때 자신을 '오빠'라고 하면서 참가인의 이름을 불렀다 하더라도 이는 평소 대화 상대방에게 친근감을 주려는 원고 1 의 언어습관에 기한 것이지 개인적인 친분관계에 기한 것은 아니라는 점, 면담이 원고 1 의 업무시간 중 도지사의 집무실에서 이루어졌다는 점 등 당사자의 지위 및 관계, 행위가 행해

진 시간과 장소 등에 비추어 볼 때 제1차 면담이 원고 1 이 참가인을 도지사로서의 직책에서 벗어나 개인 자격으로 만나는 자리에 불과하였다는 원고들 주장은 선뜻 수긍하기 어렵다.

(나) 다음으로, 원고 1 은 제주도 소속 공무원인 오경생, 이경희 등에게 참가인에게 방문을 요청하도록 지시하였고, 그 지시를 받은 공무원들의 요청으로 이 사건 면담이 이루어진 점, 대한미용사회 제주시지부는 그 회원 미용실이 600여 개가 넘고 미용실은 여성들의 입을 통하여 여론이 전파되고 형성되는 곳으로서 제주시지부장이었던 참가인은 회원 미용실에 대하여 영향력을 행사할 수 있는 위치에 있었으며, 당시는 지방자치단체장 선거를 앞둔 시기로서 원고 1 로서는 직능단체장인 참가인에게 위 선거에 있어 자신을 지지하여 달라고 하기 위하여 면담을 적극적으로 요청하였던 점, 원고 1 은 평소 집무실에서 민간단체의 관계자들이나 도정에 도움이 될 사람을 불러 의견을 청취하는 개별면담을 하고 있고, 제1차 면담일에도 참가인과의 면담 직후 교보생명 제주지점장, 한림교회 목사, 전문직여성한국연맹 제주지부 회

장, 자동차노조 지부장 등 선거에서 영향을 미칠 수 있는 정도의 지위에 있는 사람 또는 직능단체의 관계자 등과 면담이 예정되어 있었던 점, 제1차 면담에서의 대화내용도 참가인의 건강, 소록도의 봉사활동, 가족들의 안부 등에 관한 개인적인 이야기뿐 아니라 만덕제 행사에서 보여준 보건복지여성국장의 태도, 원고 1 이 여성단체 행사에서 보이는 행동에 대한 비판 등 업무에 관한 이야기도 있었던 점 등 면담의 경위, 내용 등에 비추어 볼 때 제1차 면담은 원고 1 의 도지사로서의 업무 등과 관련이 있는 것으로 봄이 상당하다.

(다) 한편, 남녀차별금지법상의 성희롱은 업무·고용 이외에 기타 관계에서 발생한 것까지 포함하고 있어 그 적용 범위를 업무·고용 관계에 한정하지 않고 있으며, 성희롱으로 인하여 고용상의 불이익을 주거나 고용환경을 악화시킬 것을 요건으로 하지 않고 단순히 성적 굴욕감 또는 혐오감을 느끼게 하는 것만으로 금지대상에 해당한다는 점, 남녀차별금지법 제2조 제2호 에서 '그 지위를 이용한다'는 의미는 정당한 이용 이외에 그 권한의 남용도 포함하는 것으로 보아야 한다는 점 등을 감

안하면, 남녀차별금지법상의 업무 관계는 상대방에게 고용상의 불이익 등 직접적인 영향력을 미칠 수 있을 정도의 구체적인 업무 관계를 의미하는 것으로 해석되어야 한다는 원고들의 주장은 이를 받아들이지 아니한다.

이상의 논의를 종합하여 보면, 원고 1 과 참가인 사이의 제1차 면담은 남녀차별금지법상 '업무, 고용 기타 관계에서' 이루어진 것이라고 할 것이다.

(2) 성희롱 여부에 대한 판단

(가) 어떠한 행위가 성희롱에 해당하는지 여부는 쌍방 당사자의 연령이나 관계, 행위가 행해진 장소 및 상황, 성적 동기나 의도의 유무, 행위에 대한 상대방의 명시적 또는 추정적인 반응의 내용, 행위의 내용 및 정도, 행위가 일회적 또는 단기간의 것인지 아니면 계속적인 것인지 여부 등의 구체적 사정을 종합하여, 그것이 사회공동체의 건전한 상식과 관행에 비추어 볼 때 용인될 수 있는 정도의 것인지 여부 즉 선량한 풍속 또는 사회질서에 위반되는 것인지 여부에 따라 결정되어야 한

다(대법원 1998. 2. 10. 선고 95다39533 판결 참조).

(나) 또한, 성적 언동이란 상대방이 원하지 않는 성적 의미가 내포된 육체적, 언어적, 시각적 행위를 말하며 이러한 성적 언동으로 상대방에게 성적 굴욕감 또는 혐오감을 느끼게 할 경우 남녀차별금지법상의 성희롱이 성립된다고 할 것인바, 이 사건 면담의 성격, 원고 1 과 참가인의 관계, 면담 시간·장소 및 원고 1 이 이 사건 행위를 할 당시의 상황, 참가인의 반응, 성적 동기 또는 의도의 유무 등 구체적인 사정을 종합하여 보면, 원고 1 이 도지사의 집무실에서 참가인의 가슴을 만진 행위는 선량한 풍속 또는 사회질서에 위반되는 것으로서 참가인이 원하지 않는 성적 의미가 내포된 성적 언동으로 보아야 하고 참가인으로 하여금 성적 굴욕감이나 혐오감을 느끼기에 충분하다고 할 것이어서 남녀차별금지법상의 성희롱에 해당한다고 할 것이다.

따라서 원고들의 이 부분 주장도 이유 없다.

(3) 절차 위배 및 형평의 원칙 위반에 대한 판단

을 제8, 9, 14호증, 을 제28호증의 1 내지 6의 각 기재에 변론 전체의 취지를 종합하면 원고 1 은 성희롱의 당사자이면서 동시에 공공기관인 원고 제주도의 장의 지위에 있었던 사실, 이 사건 시정 신청의 조사 과정에서 원고 1 은 2002. 3. 18. 피고에게 석명진술서를 작성, 제출하였고, 같은 달 28. 제주도청에서 피고 소속 조사공무원 권용현으로부터 참가인의 시정신청 내용에 관하여 듣고 이에 관한 질문에 대답하였으며 그에 따라 작성된 진술조서에 서명·날인한 사실, 피고는 2002. 6. 3., 같은 해 7. 15. 및 같은 달 29. 각 위원회를 개최하면서 원고들에게 이를 통지하여 그 의견 진술의 기회를 부여한 사실, 이에 따라 2002. 7. 29. 원고 1 이 위 위원회에 출석하여 의견을 진술하였으며 피고는 위와 같이 이 사건 시정신청에 관한 원고들의 의견진술을 들은 후 이 사건 처분을 한 사실을 인정할 수 있으므로 이 사건 처분에 관한 절차에 어떠한 위법이 있다고 볼 수 없고 달리 그 절차에 위법이 있다거나 형평의 원칙에 반한다는 점을 인정할 증거가 없으므로 원고들의 위 주장도 이유 없다.

(4) 소결론

따라서 원고들의 주위적 청구는 이유 없다.

5. 예비적 청구에 대한 판단

원고들은, 예비적으로 이 사건 재결의 취소를 구하나 이는 이 사건 처분의 행정처분성이 인정되지 아니하는 경우에 한하는 것일 뿐더러, 이 사건 재결 자체에 고유한 위법이 있었다는 점에 대하여 아무런 주장·입증이 없으므로 원고들의 예비적 청구는 이유 없다.

6. 결 론
그렇다면 원고들의 이 사건 청구는 모두 이유 없으므로 이를 기각하기로 하여, 주문과 같이 판결한다.

판사 권순일(재판장) 이용구 윤경아

제 3 장

교장의 성희롱 사건

【판시사항】

초등학교 교사들의 회식자리에서 교감이 여자교사들에 대하여 남자교장에게 술 한 잔씩 따라 드리라는 언행을 한 것은 상사에게 답례로 술을 권하라는 취지라는 점 등을 고려하여 구 남녀차별금지 및구제에관한법률상의 성희롱에 해당하지 않는다고 한 사례

【판결요지】

초등학교 교사들의 회식자리에서 교감이 여자교사들에 대하여 남자교장에게 술 한 잔씩 따라 드리라는 언행을 한 것은 상사에게 답례로 술을 권하라는 취지라는 점 등을 고려하여 구 남녀차별금지및구제에관한법률(2003. 5. 29. 법률 제6915호로 개정되기 전의 것)상의 성희롱에 해당하지 않는다고 한 사례.

【참조조문】

구 남녀차별금지및구제에관한법률(2003. 5. 29. 법률 제6915호로 개정되기 전의 것) 제2조 , 제28조

【참조판례】

대법원 1998. 2. 10. 선고 95다39533 판결(공1998상, 652)

【원고】 원고

(소송대리인 변호사 남기송)

【피고】 여성부 남녀차별개선위원회 (소송대리인 변호사 이명숙 외 1인)

【주문】
1. 피고가 2003. 5. 6. 원고에 대하여 한 성희롱 결정처분을 취소한다.
2. 소송비용은 피고의 부담으로 한다.

【취지】
주문과 같다.

【변론종결】
2004. 1. 7.

【이유】

1. 처분의 경위

가. 원고(남자, 1950년생)는 초등학교 교사로 근무하다가 1999. 9. 1. 교감으로 승진하였고, 2002. 9. 1. 안동 소재 초등학교 에 교감으로 부임하였다.

나. 소외 1 (여자, 1974년생)은 1997년 안동대학교 영어교육과를 졸업하고 1999. 9. 경부터 위 초등학교 에서 영어전담교사로 근무하기 시작하였으며, 2002년에는 위 초등학교 3학년 6반 담임을 맡았다.

다. 원고는 위 초등학교 교장인 소외 2 , 교무부장인 소외 3 과 함께 위 초등학교 3학년 부장교사 소외 4 의 초청을 받아, 2002. 9. 25. 18:00경 안동시 옥동 소재 백상어횟집에서 열리는 위 초등학교 3학년 교사 전체회식에 참석하였다.

라. 위 회식에 참석하였던 소외 1 은 2002. 9. 30.경 '원고가 위 회식에 참석하였던 여교사 3인에게 2회에 걸쳐 교장인 소외 2 에게 술을 따르라는 취지의 말을 한 후 특히 자신을 지목하여 "최선생은 교장선생님께 필히 한 잔 따르지"라고 말하고, 교장인 소외 2 는 원고의 위와 같은 행위를 제지하지 아니하고 묵시적으로 동조한 채 여자교사들이 따르는 술을 받아 마시는 행위를 하여 각 성희롱을 하였다'고 주장하면서, 원고와 소외

2, 위 초등학교 를 피신청인으로 하여 남녀차별금지및구제에관한법률(2003. 5. 29. 법률 제6915호로 개정되기 전의 것, 이하 '남녀차별금지법'이라 한다)에 의한 시정신청을 하였다.

마. 이에 피고는, 위 회식장소에서 원고가 소외 1 에 대하여 교장에게 술을 따르라는 취지의 말을 하여 성희롱을 하였다는 이유로 남녀차별금지법 제28조 제1항 에 따라, 2003. 4. 28. 원고에 대하여는 '소외 1 에 대하여 소외 2 에게 술을 따르라고 한 행위는 성희롱으로 결정한다'는 의결을, 소외 2 에 대하여는 '성희롱에 해당하지 아니한다'는 의결을, 위 초등학교 에 대하여는 '향후 교직원들의 회식문화를 개선하고, 전교직원을 대상으로 재발방지를 위한 성희롱 예방교육을 실시할 것을 권고한다'는 내용의 의결을 하고, 같은 해 5. 6. 이를 원고 등에게 통지하였다.

[인정 근거] 갑 제1호증, 을 5호증의 1, 2, 제12호증, 변론 전체의 취지

2. 원고의 주장

원고는 위 회식장소에서 여자교사들에게 "교장선생님이 술을 한 잔씩 권하였으니 여선생님들께서도 교장선생님에게 한잔 권했으면 좋겠습니다" 라는 취지로 2회에 걸쳐 말함으로써 여자교사들에 대하여 교장에게 술을 권할 것을 권유하였을 뿐 여자교사들에게 술을 따르라고 강요한 사실이 없다.

위 회식 당시 교장인 소외 2 가 여자교사들에게 술을 한 잔씩 따라 주었는데 소외 2 의 술잔이 비었음에도 여자교사들이 소외 2 에게 술을 권하지 않았는바, 아랫사람이 윗사람으로부터 술을 받았으면 답례로 윗사람에게 술을 권하는 것이 술자리에서 지켜야 할 예절이라고 생각한 원고가 교장인 소외 2를 예우하는 차원에서 여자교사들에 대하여 교장에게 술을 권하도록 하는 취지의 말을 한 것인데,

그와 같은 원고의 언동에는 성적인 의미가 포함되어 있지 않으며 가사 성적인 의미가 포함되어 있다고 하더라도 사회통념상 합리적인 사람이 성적

굴욕감 또는 혐오감을 느끼게 할 정도에 이르지 않았다. 따라서 원고의 행위가 성희롱에 해당한다고 본 피고의 이 사건 처분은 위법하여 취소되어야 한다.

3. 관계 법령

별지 기재와 같다.

4. 이 사건 처분의 적법 여부

가. 인정 사실

(1) 위 회식은 2002. 9. 1. 원고가 위 초등학교 교감으로 부임하여 전체 교직원과 점심시간에 냉면을 같이 먹은 첫 번째 회식 이후에 있은 원고가 교사들과 같이 하는 최초의 회식이었다.

(2) 위 회식이 있기 하루나 이틀 전에 소외 1 이 담임교사로 있는 위 초등학교 3학년 6반의 학생 중 1명이 3층에 있는 여자화장실의 (밀대걸레를 헹구는 등의 용도 사용되는) 수조를 깨뜨린 사건

이 발생하였고, 위 사건과 관련하여 원고가 교실 복도에서 소외 1 을 면담하여 학생들의 지도를 잘 해달라는 취지로 이야기를 한 적이 있었다.

(3) 위 회식에서의 좌석배치는 아래와 같았고 여 자교사들은 자신들의 자유의사에 따라 아래와 같 은 자리에 앉았다.

소외 5 원고(교감) 소외 2 (교장) 소외 6 (여) 소외 7 (여)
소외 4 소외 3 소외 8 소외 1 (여)

(4) 술과 음료수 및 간단한 안주가 준비되자 남자 교사인 소외 8 이 교장인 소외 2 앞에 있는 소주 잔에 맥주를 따랐고(소외 2 는 술이 약하여 회식 자리에서 항상 소주잔에다 맥주를 마셨고, 위 초 등학교 교사들은 모두 이 사실을 알고 있었다),

이어 소외 2 가 소외 8 로부터 맥주병을 건네받 아 여자교사 3인의 각 소주잔과 소외 8 의 맥주 잔에 맥주를 따랐으며, 원고와 소외 3, 4, 5 는 소주잔에 소주를 따라 모두의 잔을 채운 다음, 소 외 4 가 인사말을 하며 건배를 제의하였는데, 남자들은 거의 잔을 비웠으나 여자교사들은 모두 각자의 승용차를 운전하여 갈 생각으로 술잔에 입술만 대었다가 떼었을 뿐 술잔을 비우지 않고 상위에 내려놓았다.

(5) 잠시 후 원고가 "여선생님들, 잔 비우고 교장선생님께 한 잔씩 따라드리세요"라고 말하였다. 여자교사들은 그 말을 듣고도 자신들의 술잔을 비우거나 교장에게 술을 권하지 아니하였고, 남자교사들만 교장, 원고 및 다른 남자교사들에게 술을 권하였는데, 원고는 한참 후 "여선생님들 빨리 잔들 비우고 교장선생님께 한잔 따라드리지 않고"라고 재차 말하였다(이하 '원고의 이 사건 언행'이라고 한다).

(6) 이에 여자교사인 소외 6 (1970년생)이 "내가 교장에게 술을 한잔 권하면 교감선생님이 더 이상 교장선생님에게 술을 권하라는 말을 하지 않겠지" 하는 생각에 먼저 교장에게 술을 한잔 권하였고, 여자교사인 소외 7 (1949년생)은 "여자선생님들 나름대로 생각이 있으므로 알아서 할 것인데 원고가 왜 저런 말을 하시나" 라는 생각을 하면서 소

외 6 에 이어 교장에게 술을 한잔 권하였으며, 소
외 1 은 거부의사를 표시하려는 생각으로 그때까
지 비우지 않고 상위에 놓았던 술잔을 들어 단숨
에 비우고 술잔을 상 아래로 내려놓았다.

(7) 식사를 거의 마칠 무렵 교장인 소외 2 는 자
신의 잔을 소외 1 에게 주면서 맥주를 따라주었
고, 소외 1 은 그 잔을 비우고 교장에게 돌려주면
서 맥주를 따랐다.

(8) 위 회식에서의 주된 대화내용은 2002. 10.
15. 실시예정인 전국 초등학교 3학년 기초학력평
가 및 1학기 영어 선도수업 등 학습에 관한 것이
었다.

(9) 위 회식은 20:00 무렵 끝이 났는데, 술은 맥
주 2병과 소주 2병이 소비되었다.

(10) 위 회식이 끝이 나고 원고 및 소외 2 가 먼
저 귀가한 이후에 동료교사들에게, 소외 1 은 "회
식 도중 원고가 특히 자신을 지목하여 교장에게
술을 따르라고 하여 속상하다, 수조를 깨뜨린 일

때문에 여자교사 3명 중 나를 지목한 것이다." 라고 말하였고, 배선애, 유은하는 원고의 "최선생은 교장선생님께 필히 한 잔 따르지" 라는 말은 듣지 못하였지만 원고가 여자교사들에게 두 번이나 교장에게 술을 따르라는 말을 하여 불쾌감을 느꼈다는 취지로 말을 하였는데, 소외 4 가 "3학년 교사들이 원고 등을 초청하는 형식으로 이루어진 자리이므로 우리들이 이해하고 없었던 일로 하자"는 말로 무마한 후 각자 흩어졌다.

(11) 소외 6, 7, 8, 9 등은 위 초등학교 에서 전국교직원노동조합(이하 '전교조'라고 한다)에 소속되어 있는 교사들이다.

(12) 같은 날 저녁 소외 8 은 소외 1 의 남편과 전화통화를 하면서 소외 1 이 원고로부터 사과를 받는 일을 전교조에서 도와 주겠다고 하였고, 다음날 소외 8 , 전교조 분회장인 소외 9 등은 원고에게 가 어젯밤 회식에서의 원고의 이 사건 언행을 성희롱으로 문제겠다고 말하였다.

[인정 근거] 갑 제3, 4호증, 을 제4호증, 제5호증

의 1 내지 6, 제6, 13호증, 증인 소외 1, 4, 6, 7, 8 , 경상북도 안동교육청 교육장에 대한 사실조회 결과, 변론 전체의 취지

나. 판 단

(1) 어떠한 행위가 성희롱에 해당하는지 여부는 쌍방 당사자의 연령이나 관계, 행위가 행해진 장소 및 상황, 성적 동기나 의도의 유무, 행위에 대한 상대방의 명시적 또는 추정적인 반응의 내용, 행위의 내용 및 정도, 행위가 일회적 또는 단기간의 것인지 아니면 계속적인 것인지 여부 등의 구체적 사정을 종합하여, 그것이 사회공동체의 건전한 상식과 관행에 비추어 볼 때 용인될 수 있는 정도의 것인지 여부 즉 선량한 풍속 또는 사회질서에 위반되는 것인지 여부에 따라 결정되어야 한다(대법원 1998. 2. 10. 선고 95다39533 판결 참조).

(2) 돌이켜 이 사건에 관하여 보건대, 이 사건 회식은 위 초등학교 3학년 교사들이 새로 교감으로 부임한 원고를 환영한다는 의미에서 자신들의 전

체회식에 교장 및 원고 등을 초대하여 이루어진 것으로 원고가 교사들과 처음으로 개별적으로 접촉하는 자리였으며 위 회식에서 참석자들이 주로 학습에 관한 대화를 나누었고,

여자교사들이 교장으로부터 술을 한 잔씩 받은 다음 건배제의 후에도 술잔을 비우지 아니하고 교장에게 답례로 술을 권하지도 아니한 상황에서 원고가 교장에게 술을 따라드리라는 취지의 이 사건 언행을 하였던 것에 비추어 보면 원고는 여자교사들은 여성이므로 (유흥 또는 주흥을 위하여) 교장에게 술을 따라야 한다는 성적 의도를 가지고 이 사건 언행을 한 것이라기보다는 회식장소에서 부하직원이 상사로부터 술을 받았으면 답례로 상사에게 술을 권하여야 한다는 차원에서 이 사건 언행을 한 것으로 보여지는 점, 소외 1 을 제외한 다른 여자교사들은 원고가 교장에게 술을 따라드리라는 취지의 말을 하여 불쾌하게 생각하였으나 그로 인하여 성적인 굴욕감 또는 혐오감을 느끼지는 않았다고 진술하고 있는 점 등 이 사건 회식의 성격, 참석자들의 관계, 장소 및 원고가 이 사건 언행을 할 당시의 상황, 성적 동기 또는 의도의

유무 등의 구체적인 사정을 종합하여 보면, 원고의 이 사건 언행이 우리 사회공동체의 건전한 상식과 관행에 비추어 볼 때 용인될 수 없는, 선량한 풍속 또는 사회질서에 위반되는 것이라고 보기 어렵다.

(3) 피고는, 원고가 여자교사들에 대하여 2회에 걸쳐 교장에게 술을 따라드리라는 취지의 말을 한 후 소외 1 을 지목하여 "최선생은 교장선생님께 필히 한잔 따르지"라고 말하여 소외 1 에 대하여 술을 따르기를 강요하였고, 이로 말미암아 여자교사인 소외 1 이 성적 모욕감, 불쾌감을 느꼈으므로 원고의 위와 같은 언행은 성희롱에 해당한다고 주장한다.

그러므로 원고가 소외 1 을 지목하여 "최선생은 교장선생님께 필히 한잔 따르지"라고 말한 사실이 있는지에 관하여 보건대, 원고가 그와 같이 말하였다는 증거로는 을 제3호증의 3, 제4호증, 제5호증의 1, 제11, 13, 14, 15호증의 각 기재 및 증인 소외 1 의 증언이 있으나, 위 각 증거는 갑 제2, 3호증, 을 제5호증의 2, 제17호증의 각 기재 및 증인 소외 6, 7, 8 의 각 증언에 비추어 믿을 수 없고 달리 이를 인정할 아무런 증거가 없으며, 가사 원고가 그와 같은 말을 하였다고 하더라도 앞에서 본 경위에 비추어 볼 때 이것이 바로 성희롱에 해당한다고 여겨지지도 않는다.

(4) 소결론
따라서 원고의 이 사건 언행을 남녀차별금지법에 의하여 금지되는 성희롱이라고 볼 수 없다 할 것이다.

3. 결 론
그렇다면 원고의 이 사건 청구는 이유 있으므로 이를 인용하기로 하여 주문과 같이 판결한다.

판사 한강현(재판장) 최은배 윤태호

제 4 장

교수의 성희롱 사건

【판시사항】

[1] 성적 표현행위의 위법성 판단 기준
[2] 대학교수의 조교에 대한 성적인 언동이 불법행위를 구성한다고 본 사례
[3] 이른바 성희롱의 불법행위 성립 여부를 판단함에 있어 이를 고용관계에 한정하거나 조건적 성희롱과 환경형 성희롱으로 구분하여 판단하는 방법의 합리성 여부(소극)
[4] 사용자 책임의 요건인 '사무집행에 관하여'의 의미와 그 판단 기준

[5] 직장 내에서 발생한 성희롱 행위가 직무관련성 없이 은밀하고 개인적으로 이루어진 경우, 사용자에게 고용계약상 보호의무 위반을 이유로 한 손해배상책임이 있는지 여부(소극)

【판결요지】

[1] 성적 표현행위의 위법성 여부는, 쌍방 당사자의 연령이나 관계, 행위가 행해진 장소 및 상황, 성적 동기나 의도의 유무, 행위에 대한 상대방의 명시적 또는 추정적인 반응의 내용, 행위의 내용 및 정도, 행위가 일회적 또는 단기간의 것인지 아니면 계속적인 것인지 여부 등의 구체적 사정을 종합하여,

그것이 사회공동체의 건전한 상식과 관행에 비추어 볼 때 용인될 수 있는 정도의 것인지 여부 즉 선량한 풍속 또는 사회질서에 위반되는 것인지 여부에 따라 결정되어야 하고, 상대방의 성적 표현행위로 인하여 인격권의 침해를 당한 자가 정신적 고통을 입는다는 것은 경험칙상 명백하다.

[2] 피해자가 엔엠알기기 담당 유급조교로서 정식 임용되기 전후 2, 3개월 동안, 가해자가 기기의 조작 방법을 지도하는 과정에서 피해자의 어깨, 등, 손 등을 가해자의 손이나 팔로 무수히 접촉하였고, 복도 등에서 피해자와 마주칠 때면 피해자의 등에 손을 대거나 어깨를 잡았고, 실험실에서 "요즘 누가 시골 처녀처럼 이렇게 머리를 땋고 다니느냐."고 말하면서 피해자의 머리를 만지기도 하였으며, 피해자가 정식 임용된 후에는 단둘이서 입방식을 하자고 제의하기도 하고, 교수연구실에서 피해자를 심부름 기타 명목으로 수시로 불러들여 위아래로 훑어 보면서 몸매를 감상하는 듯한 태도를 취하여 피해자가 불쾌하고 곤혹스러운 느낌을 가졌다면,

화학과 교수 겸 엔엠알기기의 총책임자로서 사실상 피해자에 대하여 지휘·감독관계에 있는 가해자의 위와 같은 언동은 분명한 성적인 동기와 의도를 가진 것으로 보여지고, 그러한 성적인 언동은 비록 일정 기간 동안에 한하는 것이지만 그 기간 동안만큼은 집요하고 계속적인 까닭에 사회통념상 일상생활에서 허용되는 단순한 농담 또는 호의적

마음의 상처 성희롱, 치유로서의 법학의 대흥

이고 권유적인 언동으로 볼 수 없고, 오히려 피해
자로 하여금 성적 굴욕감이나 혐오감을 느끼게 하
는 것으로서 피해자의 인격권을 침해한 것이며,
이러한 침해행위는 선량한 풍속 또는 사회질서에
위반하는 위법한 행위이고, 이로써 피해자가 정신
적으로 고통을 입었음은 경험칙상 명백하다고 한
사례.

[3] 이른바 성희롱의 위법성의 문제는 종전에는
법적 문제로 노출되지 아니한 채 묵인되거나 당사
자간에 해결되었던 것이나 앞으로는 빈번히 문제
될 소지가 많다는 점에서는 새로운 유형의 불법행
위이기는 하나, 이를 논함에 있어서는 이를 일반
불법행위의 한 유형으로 파악하여 행위의 위법성
여부에 따라 불법행위의 성부를 가리면 족한 것이
지, 불법행위를 구성하는 성희롱을 고용관계에 한
정하여, 조건적 성희롱과 환경형 성희롱으로 구분
하고, 특히 환경형의 성희롱의 경우, 그 성희롱의
태양이 중대하고 철저한 정도에 이르러야 하며,

불법행위가 성립하기 위하여는 가해자의 성적 언
동 자체가 피해자의 업무수행을 부당히 간섭하고

적대적 굴욕적 근무환경을 조성함으로써 실제상 피해자가 업무능력을 저해당하였다거나 정신적인 안정에 중대한 영향을 입을 것을 요건으로 하는 것이므로 불법행위에 기한 손해배상을 청구하는 피해자로서는 가해자의 성희롱으로 말미암아 단순한 분노, 슬픔, 울화, 놀람을 초과하는 정신적 고통을 받았다는 점을 주장·입증하여야 한다는 견해는 이를 채택할 수 없다.

또한 피해자가 가해자의 성희롱을 거부하였다는 이유로 보복적으로 해고를 당하였든지 아니면 근로환경에 부당한 간섭을 당하였다든지 하는 사정은 위자료를 산정하는 데에 참작사유가 되는 것에 불과할 뿐 불법행위의 성립 여부를 좌우하는 요소는 아니다.

[4] 민법 제756조에 규정된 사용자 책임의 요건인 '사무집행에 관하여'라는 뜻은 피용자의 불법행위가 외형상 객관적으로 사용자의 사업활동 내지 사무집행 행위 또는 그와 관련된 것이라고 보여질 때에는 행위자의 주관적 사정을 고려함이 없이 이를 사무집행에 관하여 한 행위로 본다는 것이고,

외형상 객관적으로 사용자의 사무집행에 관련된 것인지의 여부는 피용자의 본래 직무와 불법행위와의 관련 정도 및 사용자에게 손해 발생에 대한 위험 창출과 방지조치 결여의 책임이 어느 정도 있는지를 고려하여 판단하여야 한다.

[5] 고용관계 또는 근로관계는 이른바 계속적 채권관계로서 인적 신뢰관계를 기초로 하는 것이므로, 고용계약에 있어 피용자가 신의칙상 성실하게 노무를 제공할 의무를 부담함에 대하여, 사용자로서는 피용자에 대한 보수지급의무 외에도 피용자의 인격을 존중하고 보호하며 피용자가 그 의무를 이행하는 데 있어서 손해를 받지 아니하도록 필요한 조치를 강구하고 피용자의 생명, 건강, 풍기 등에 관한 보호시설을 하는 등 쾌적한 근로환경을 제공함으로써 피용자를 보호하고 부조할 의무를 부담하는 것은 당연한 것이지만, 어느 피용자의 다른 피용자에 대한 성희롱 행위가 그의 사무집행과는 아무런 관련이 없을 뿐만 아니라, 가해자의 성희롱 행위가 은밀하고 개인적으로 이루어지고 피해자로서도 이를 공개하지 아니하여 사용자로서는 이를 알거나 알 수 있었다고 보여지지도 아니

하다면, 이러한 경우에서까지 사용자가 피해자에 대하여 고용계약상의 보호의무를 다하지 아니하였다고 할 수는 없다.

【참조조문】
[1] 민법 제750조 / [2] 민법 제750조 / [3] 민법 제750조 / [4] 민법 제756조 / [5] 민법 제390조 , 제655조 , 근로기준법 제17조

【참조판례】
[4] 대법원 1988. 11. 22. 선고 86다카1923 판결 (공1989, 11) , 대법원 1992. 2. 25. 선고 91다39146 판결(공1992, 1143) , 대법원 1996. 1. 26. 선고 95다46890 판결(공1996상, 765)

【원고,상고인】
원고 (소송대리인 변호사 김창국 외 5인)

【피고,피상고인】
피고 1 외 2인 (소송대리인 변호사 임완규 외 1인)

【원심판결】 서울고법   1995. 7. 25. 선고 94나 15358 판결

【주문】

원심판결 중 피고 1 에 관한 부분을 파기하고, 이 부분 사건을 서울고등법원에 환송한다.   원고의 피고 2 , 대한민국에 대한 상고를 모두 기각하고 상고기각 부분에 관한 상고비용은 원고의 부담으로 한다.

【이유】
1. 원고의 주장 사실 및 원심의 인정 사실

가. 기기교육에 즈음한 신체접촉행위에 관하여

원심판결 이유에 의하면, 원심은, 원고의 다음과 같은 주장 즉, 피고 1 이 1992. 6. 5.경부터 2, 3주간 주로 오전 09:00부터 10:00까지 사이에 ○○대학교 23동 108호 엔엠알(NMR)기기실에서 위 기기조작 방법을 교육한다는 구실로 원고의 등 뒤에서 포옹하는 듯한 자세로 원고 앞의 컴퓨터 자

판을 치면서 그의 가슴을 원고의 등에 의도적으로 접촉하고, 원고의 어깨나 등에 손을 올려 놓거나 쓰다듬기도 하고, 원고가 기기를 작동하고 있을 때 옆에 있다가 교육을 한다는 구실로 원고의 팔을 손으로 잡기도 하고 의도적으로 신체의 일부분을 원고에게 접촉시키는 등의 행위를 20 내지 30 차례 자행하였다는 원고의 주장에 대하여, 거시 증거에 의하여,

(1) 원고는 1992. 4.경 피고 1 로부터 화합물분석기의 일종인 엔엠알기기 담당 조교 선발을 위한 면접 및 기기조작 테스트를 받고 같은 해 5. 29. 부터 위 엔엠알기기실에 출근하여 위 기기의 관리 및 조작에 관한 교육을 받는 한편 선임 조교들의 도움을 받아 실제로 시료측정을 하기도 하는 등 업무를 수행하여 오다가, 같은 해 8. 10.자로 ○○대학교 총장으로부터 임기 1년의 위 엔엠알기기 담당 유급조교로서 정식 임용된 사실,

(2) 원고는 대학원생 신분의 조교가 아니라 학과의 업무와 학부 과정의 전공실험실습을 담당하는 전문 사무보조원으로서 위 기기를 이용한 실험 결

과를 필요로 하는 교수 및 학생들로부터 실험 의뢰를 받아 시료를 측정한 후 그 결과를 의뢰인에게 통보하여 주는 것을 그 주된 임무로 하고, 달리 특정의 학문적 연구에 종사하는 것을 그 임무로 하지는 않았던 사실,

(3) 다만, 위 엔엠알기기의 원활한 관리 및 조작을 위해서는 상당한 기간 위 기기의 작동 원리와 방법 등에 관하여 교육을 받고 이를 숙지하는 것이 필요하였는데, 피고 1 는 원고가 엔엠알기기 담당 조교로서의 업무를 시작하던 초기인 같은 해 6.경에는 소외 1 로 하여금 원고에 대한 기기작동의 원리 및 방법에 관한 교육을 담당하도록 지시하였고, 같은 해 7.경부터는 소외 2 로 하여금 위 교육을 담당하도록 한 사실(원고는 그가 위 성적 괴롭힘을 당하였다고 하는 기간 중 시종 위 피고가 직접 원고의 기술교육을 담당하였고 소외 1 이 원고를 교육한 것은 1992. 6. 초까지였다고 하나, 원고에 대한 직접 교육은 소외 조교들이 담당하였고, 위 피고는 단지 수시로 들러 시정 또는 교정해 주었을 뿐이다.),

(4) 위 피고는 기기전담조교의 교육을 비롯하여 기기가 정상적으로 가동되도록 관리할 책임이 있었으므로 자주 기기실에 들러 원고와 기타 대학원생들이 작동시에 미숙한 점이 있으면 교정하고 교육하는 일이 있었는데, 기기가 소재한 장소는 비좁았고 기기를 조작하려면 키보드에 명령어를 입력하거나 40여 개에 이르는 조정버튼을 조작하여야 하므로 기기조작을 가르치거나 교정하기 위해서는 기기에 접근하지 않을 수 없었고 그 과정에서 위 피고는 컴퓨터 앞에 앉아 있는 기기작동자의 몸에 접촉하게 되는 일이 빈번하였던 사실, 위 피고는 기기관리 감독차 자주 공동기기실을 들렀는데, 그 중 수차례에 걸쳐 엔엠알기기 조작을 위하여 컴퓨터 앞에 앉아 있는 원고의 의자 옆 또는 뒤에 접근하여 잘못을 시정해주기 위하여 팔을 뻗쳐 원고 앞의 컴퓨터 자판을 치거나 말하는 도중에 원고의 어깨, 등, 손에 위 피고의 손이나 팔이 접촉하게 되었던 사실,

(5) 위 피고의 이러한 행동들이 원고로서는 불쾌하고 곤혹스러운 것이었으나 이에 대하여 명시적으로 거부의 의사를 표시한 바는 없었고(원고는

마음의 상처 성희롱, 치유로서의 법학의 대흥

위 피고의 위와 같은 신체접촉행위를 피하려고 여름에도 사무실에서 긴팔 옷을 입고 있었다고 주장하나, 위 공동기기실은 기기의 정상 작동을 위하여 냉방이 가동되고 있었고 원고의 전임 조교들도 긴팔 옷을 입고 근무하였다.), 다만 원고가 차츰 기기조작에 익숙해지고 교육의 필요가 적어지면서 위 피고의 위와 같은 행동들도 계속되지 아니한 사실을 인정하여, 대체적으로 원고의 주장 사실을 배척하였다.

나. 기타 성적 행위에 관하여

원심은 피고 1 이 1992. 6.경부터 8.경까지 사이에 ○○대학교 23동 108호 앞 복도 등에서 원고와 마주칠 때면 의도적으로 원고의 등에 손을 대거나 어깨를 잡는 경우가 많았고, 같은 해 8.경에는 22동 309호실 실험실에서 0b요즘 누가 시골 처녀처럼 이렇게 머리를 땋고 다니느냐.0c고 말하면서 원고의 머리를 만지기도 하고, 원고가 정식 임용된 동년 8. 10.경 단둘이서 입방식을 하자고 제의하기도 하고, 같은 무렵 23동 4층 교수연구실에서 원고를 심부름 기타 명목으로 수시로 불러들여 위아래로 훑어 보면서 몸매를 감상하는 듯한 태도를 취하기도 하였다는 원고의 주장에 대하여, 대체로 원고의 주장과 같은 위 피고의 언동은 인정된다고 판시하였다.

다. 산책 제의 등의 행위에 관하여

원심은 피고 1 이 1992. 10.경 자신이 사용하던 의자가 두동강이 나서 이를 고치러 간다는 명목으로 원고에게 교내 목공소까지 동행을 요구하여 함께 목공소로 가던 중 원고에게 관악산에는 조용한 산책길이 많은데 점심 먹고 함께 산책을 가자고 제의하면서 옷차림이 불편하면 피고의 연구실에 청바지랑 운동화랑 가져다 놓고 갈아 입으면 된다는 취지의 얘기를 하였고, 이에 원고가 그 자리에서 명확하게 싫다고 거절의 뜻을 표시하자 위 피고는 당황한 듯한 표정을 지었고, 이후 원고에 대한 태도가 돌변하였다는 원고의 주장에 대하여는, 판시와 같이 믿지 아니하는 증거 외에 달리 이를 인정할 증거가 없다는 이유로 이를 배척하였다.

라. 피고에 관한 성적 추문의 존부에 관하여

원심은 피고 1 이 전임 조교 소외 3 과 직원이었

던 소외 4 에 대하여도 기기교육을 빙자한 신체접촉행위와 산책 동행을 요구하는 등 성적 접근을 시도하였고, 그 밖에 제자인 소외 5 , 소외 6 과의 사이에서도 불미스런 추문이 있었다는 취지의 원고의 주장에 대하여, 판시와 같은 이유로 이를 배척하였다.

마. 원고에 대한 업무간섭 및 보복해고 여부에 관하여

원심판결 이유에 의하면, 원심은 원고의 다음과 같은 주장 즉, 피고 1 이 1992. 10.경 산책 제의를 하였다가 원고로부터 명시적인 거부를 당하자 종래의 호의적인 태도에서 돌변하여 업무상 부당한 간섭과 불리한 조치로서 정상적인 업무처리를 방해하다가 결국에는 원고에 대한 재임용추천을 거부하고 사실상 해임하였다는 주장에 대하여, 거시 증거에 의하여 (1) 원고가 담당하는 엔엠알기기는 종래부터 학생들이 위 기기를 직접 사용하여 시료측정을 하는 것은 제한되어 왔고 원칙적으로 위 기기 담당 조교가 학생들의 신청을 받아 시료측정을 하여 주도록 하되, 다만 피고 1 실험실 소속 대학원생들의 경우에는 예외적으로 위 기기 담당 조교를 거치지 않고 직접 위 기기를 사용하여 시료측정을 하는 것이 허용되어 온 사실,

(2) 그런데 원고가 위 엔엠알기기 담당 조교로서 근무를 시작한 이래 변리사시험을 준비중이었던 원고의 근무태도와 관련하여 위 기기를 이용하는 대학원생들로부터 원고가 평소에 제자리를 잘 지키지 않으며 측정의뢰를 해도 제때에 스펙트럼을 찍어주지 않는다는 등의 불만이 있어 왔으며, 학과에서 의뢰된 시료처리를 원고가 2-3일간 지체시켜 대학원생들로부터 불만을 사게 된 사실,

(3) 특히 원고와 위 기기를 공동으로 사용하는 대학원생들과의 사이에는 위 기기의 사용시간 등의 문제로 충돌이 잦았고, 실험실 선임자와 기기 사용 문제로 다투는 등 인화관계에 문제를 드러내었고 화학과에서 위 피고의 지도 아래 박사과정을 이수한 소외 2 와 한편이 되어 소외 7 을 위시한 대학원생들과 대립하였기 때문에 이들의 감정대립으로 인하여 실험실의 연구 분위기는 저해된 사실,

(4) 1993. 3.경에 이르러 피고 1 지도하의 대학원 생들이 늘어나고 다른 실험실에 있던 동종의 엔엠 알기기가 고장으로 가동이 중단되어 원고가 담당 하던 엔엠알기기의 사용량이 증가하면서 위와 같 은 불만과 갈등은 더욱 증폭되었는데, 이에 위 피 고는 위 기기 사용을 둘러싼 위와 같은 분쟁의 원 인이 원고의 근무태만과 독선적인 기기 운영에 있 다고 판단하고 원고에게 위 엔엠알기기의 사용에 있어서 위 피고 지도하에 있는 대학원생들도 배려 하고 그들과 원만히 지낼 것을 지시하였으며, 아 울러 위 피고는 종전에 원고의 편의를 고려하여 대학원생들과 함께 지낼 수 있도록 22동 309호 실험실에 제공되었던 책상의 사용을 금지하고 원 래 원고의 근무 위치인 23동 108호 엔엠알기기실 에서 근무하도록 지시한 사실,

(5) 위 피고의 이러한 조치들에도 불구하고 원고 의 엔엠알기기 운영을 둘러싼 화학과 내에서의 불 만과 갈등은 수그러들지 않았고, 또 1993. 5.경에 는 화학과 유기공동기기실에 새로운 실험기기를 설치함에 있어서 당시 위 피고는 예산절감을 위하

여 대학원생들과 함께 직접 위 공사에 참여하여 기기설치대 교체작업과 냉동기 설치작업 등을 2주간 가량 계속하였는데, 원고는 위 작업이 계속되는 동안 위 공동기기실의 업무가 자신의 업무와는 무관함을 이유로 수수방관하고 전혀 협조를 하지 않았고 이 때문에 위 피고로부터 책망을 들은 사실,

(6) 교육공무원임용령(대통령령 제4303호) 및 ○○대학교 전임교수 및 조교임용규정(제849호)에 의하여 유급조교의 임용은 해당 학과의 학과장이 학과 내에 공고하거나 학과 교수의 추천을 받아 교수회의의 동의를 얻어 학장에게 추천하고 대학 인사위원회의 심의를 거쳐 총장이 임용하도록 되어 있고, 임용기간이 만료된 조교는 자동면직되나 필요한 경우에 한하여 학과장이 학과 교수회의의 동의를 얻어 재추천할 수 있게 되어 있었지만, 원고의 근무태도로 인한 불만과 갈등 때문에 위 피고는 원고의 재임용을 추천하지 않았으며, 1993. 6. 15. 화학과 교수회의에서는 원고를 재임용하지 아니하고 새로이 후임 조교를 임용하기로 결정되자, 같은 해 6. 25. 위 피고는 원고에게 교수회의

의 결정사항을 전달하고, 후임 조교의 업무교육이 시작되므로 더 이상 출근할 필요가 없으며, 엔엠 알기기도 더 이상의 사용을 중지할 것을 지시하였으며, 이에 원고는 교육공무원임용령(대통령령 제4303호) 제5조 제2항 및 제3항에서 정한 1년간의 임용시한에 따라 원고는 1993. 8. 31. 자동면직되게 된 사실을 인정함으로써, 피고 1 이 원고에 대한 재임용추천을 하지 아니한 것은 원고가 위 피고의 성적 접근을 거부하였기 때문이 아니라 원고의 근무태도가 좋지 아니하였기 때문이라는 취지로 판단하여, 위 피고가 원고의 업무를 부당하게 간섭하고 보복해고를 하였다는 원고의 위 주장을 배척하였다.

2. 원고의 피고들에 대한 청구에 관한 원심의 판단

가. 피고 1 에 대한 청구에 관하여

원심은 원고가 조교로서 근무하던 기간 중에 피고 1 로부터 성적 괴롭힘을 받고 그에 불응함으로써 위 피고로부터 보복해고를 당하게 되었으므로 위 피고의 위 불법행위로 인하여 원고가 입은 손해의 배상을 구한다고 주장함에 대하여, 고용조건이나 근로환경에 관하여 성을 이유로 한 차별적 취급을 함으로써 불법행위가 성립하는 성적 괴롭힘에는, 성적행위에 대한 거절로 인하여 해고나 승진거절 등 고용상의 차별적 처우를 가져오는 조건적 성적 괴롭힘과 성적행위 자체가 그 피해자로 하여금 성적 굴욕감이나 혐오감을 품게하여 그의 업무수행이나 근로환경에 부당하고 심각한 불이익을 가져오는 환경형 성적 괴롭힘으로 구분할 수 있는바,

(1) 우선 조건적 성적 괴롭힘의 성부에 관하여 보건대, 원고가 부당한 위 피고의 차별적 처우였다고 주장하는 대부분의 사실은 위 피고의 원고에 대한 업무지시권의 재량범위 내에 드는 사항이었을 뿐 그것이 설사 원고에게 부담이 되고 마음에 들지 않는 일이었다고 하더라도 그러한 이유만으로 차별대우였다고 볼 수는 없고, 나아가 원래부터 1년 기한부로 임용된 원고의 임용관계는 그 기간이 경과함으로써 당연히 종료되고, 원고가 재임용을 계속받아 왔다든가 또는 재임용이 확실하게 관례화되어 있다고 하는 사정이 보이지 않는 이

사건에서 원고는 해고당하였다고 할 수 없을 뿐
아니라 위 피고가 원고의 재임용추천을 하지 않은
것도 과의 교수나 대학원생들이 모두 원고의 불성
실한 근무태도를 불만스럽게 생각하였기 때문이었
을 뿐 그것이 보복으로 인한 것이었다고는 볼 수
없으므로, 조건적 성적 괴롭힘이 성립한다고 할
수 없고,

(2) 또한 환경형의 성적 괴롭힘의 성부에 관하여
보건대, 환경형의 성적 괴롭힘은 그 행위로 인하
여 원고에게 정신적 고통을 가하는 심하고 철저한
행위임을 요하고, 그것은 원고 개인뿐 아니라 합
리적으로 사고하는 통상의 여성에 대하여도 일할
능력을 저해하거나 정신적 건강에 심각한 영향을
준다는 입증이 있어야 한다 할 것인데, 원고가 성
적 괴롭힘으로서 주장하는 위 피고의 언동 가운데
인정되는 사실은 대부분 업무수행상 우연히 또는
의도적으로 빚어진 수차례의 가벼운 신체접촉행위
이거나, 다소 짓궂지만 노골적으로 성적인 것은
아닌 농담 또는 호의적이고 권유적인 언동에 불과
하였고, 설사 위 피고에게 성적 접근의 의도가 있
었다 하더라도 그 행위의 악성은 경미한 것이어서

그것이 원고의 근무환경을 변경하여 성적인 모멸감을 가져오고 굴욕적인 근무환경을 조성한 것이라고 볼 수는 없으므로, 환경형 성적 괴롭힘도 성립하지 아니한다고 판시하여, 위 피고의 행위가 불법행위를 구성함을 전제로 하는 이 사건 청구를 기각하였다.

나. 피고 2 와 대한민국에 대한 청구에 관하여

원심은, 당시 ○○대학교 총장으로서 피고 1 의 사용자인 피고 대한민국을 갈음하여 피고 1 의 사무를 감독하는 피고 2 는 피고 1 의 불법행위를 예견하여 이를 사전에 방지하여야 할 의무를 게을리하고 사후에도 피고 1 의 불법행위를 은폐하려고 하였으므로, 피고 1 의 감독자로서 피고 1 의 이 사건 불법행위로 인한 원고의 손해를 배상할 책임이 있거나, 아니면 불법행위자 본인으로서 원고의 손해를 배상할 책임이 있고, 피고 대한민국은 그 피용자인 피고 1 와 피고 2 의 사용자로서 그들의 불법행위로 인하여 원고가 입은 손해를 배상하거나, 원고와 피고 대한민국 간의 고용계약에 기하여 그 계약의 당사자로서 피용자인 원고의 노동수행과 관련하여 원고의 인격적 존엄을 침해하거나 그 노무제공에 중대한 지장을 초래하는 사유가 발생하는 것을 방지하고 원고가 일하기 좋은 직장환경이 되도록 배려하고 성차별이 일어나지 않도록 하여야 할, 안전배려의무에 유사한 의무가 있음에도 그러한 의무에 위반하여 피고 1 의 위와 같은 성적 괴롭힘을 방지하지 못하였으니 그로 인하여 원고가 입은 손해를 배상할 책임이 있다는 취지의 원고의 주장에 대하여, 피고 1 의 불법행위가 성립하지 아니하는 이상 피고 2 및 대한민국에 대한 원고의 청구는 이유 없다고 하여 이를 기각하였다.

3. 원고의 피고 1 에 대한 청구에 관한 상고이유 (기간 도과하여 제출된 각 상고이유보충서 기재 이유는 상고이유를 보충하는 범위 내에서)를 본다.

가. 제2, 3점(사실인정)에 관하여

기록에 의하여 살펴보면, 원심이 판시와 같이 원고 주장 사실 중 일부만을 인용하고 나머지 주장

사실을 배척한 조치는 모두 수긍이 가고 거기에 소론과 같은 논리칙, 경험칙, 채증법칙 위배, 심리미진 등의 위법이 있다고 할 수 없다. 논지는 결국 원심의 전권사항인 증거의 취사선택과 사실의 인정을 비난하는 것에 지나지 아니하여 받아들일 수 없다.

나. 제1, 4점(법리오해)에 관하여

(1) 모든 국민은 인간으로서의 존엄과 가치를 가지며 행복을 추구할 권리가 있고 이를 실현하기 위하여는 개개인이 갖는 인격적 이익 내지 인격권은 법에 의하여 존중되고 보호되어야 한다. 특히 남녀관계에서 일방의 상대방에 대한 성적 관심을 표현하는 행위는 자연스러운 것으로 허용되어야 하지만, 그것이 상대방의 인격권을 침해하여 인간으로서의 존엄성을 훼손하고 정신적 고통을 주는 정도에 이르는 것은 위법하여 허용될 수 없는 것이다.

그리고 어떤 성적 표현행위의 위법성 여부는, 쌍방 당사자의 연령이나 관계, 행위가 행해진 장소 및 상황, 성적 동기나 의도의 유무, 행위에 대한 상대방의 명시적 또는 추정적인 반응의 내용, 행위의 내용 및 정도, 행위가 일회적 또는 단기간의 것인지 아니면 계속적인 것인지 여부 등의 구체적 사정을 종합하여, 그것이 사회공동체의 건전한 상식과 관행에 비추어 볼 때 용인될 수 있는 정도의 것인지 여부, 즉 선량한 풍속 또는 사회질서에 위반되는 것인지 여부에 따라 결정되어야 할 것이다. 그리고 상대방의 성적 표현행위로 인하여 인격권의 침해를 당한 자가 정신적 고통을 입는다는 것은 경험칙상 명백하다 할 것이다.

(2) 원심이 적법하게 인정한 바와 같이, 원고가 이 사건 엔엠알기기 담당 유급조교로서 정식 임용되기 전후 2, 3개월 동안, 피고 1이 기기의 조작 방법을 지도하는 과정에서 원고의 어깨, 등, 손 등을 위 피고의 손이나 팔로 무수히 접촉하였고, 복도 등에서 원고와 마주칠 때면 원고의 등에 손을 대거나 어깨를 잡았고, 실험실에서 "요즘 누가 시골 처녀처럼 이렇게 머리를 땋고 다니느냐."고 말하면서 원고의 머리를 만지기도 하였으며, 원고가 정식 임용된 후에는 단둘이서 입방식을 하자고 제의하기도 하고, 교수연구실에서 원고를 심부름 기타 명목으로 수시로 불러들여 위아래로 훑어 보면서 몸매를 감상하는 듯한 태도를 취하여 원고로서는 불쾌하고 곤혹스러운 느낌을 가졌다는 것인바,

이러한 사실관계에 의하면 화학과 교수 겸 엔엠알 기기의 총책임자로서 사실상 원고에 대하여 지휘·감독관계에 있는 피고 1의 위와 같은 언동은 분명한 성적인 동기와 의도를 가진 것으로 보여지고, 그러한 성적인 언동은 비록 일정기간 동안에 한하는 것이지만 그 기간 동안만큼은 집요하고 계속적인 까닭에 사회통념상 일상생활에서 허용되는 단순한 농담 또는 호의적이고 권유적인 언동으로 볼 수 없고, 오히려 원고로 하여금 성적 굴욕감이나 혐오감을 느끼게 하는 것으로서 원고의 인격권을 침해하였다고 할 것이고, 이러한 침해행위는 선량한 풍속 또는 사회질서에 위반하는 위법한 행위이고, 이로써 원고가 정신적으로 고통을 입었음은 경험칙상 명백하다 고 할 것이다.

따라서 위 피고의 위와 같은 성적인 언동은 불법행위를 구성한다 할 것이므로 피고 1 로서는 원고에 대하여 원고가 입은 정신적 손해를 배상할 책임이 있다고 할 것이다.

그리고 이른바 성희롱의 위법성의 문제는 종전에는 법적 문제로 노출되지 아니한 채 묵인되거나 당사자간에 해결되었던 것이나 앞으로는 빈번히 문제될 소지가 많다는 점에서는 새로운 유형의 불법행위이기는 하나, 이를 논함에 있어서는 위에서 본 바와 같이 이를 일반 불법행위의 한 유형으로 파악하여 행위의 위법성 여부에 따라 불법행위의 성부를 가리면 족한 것이지, 원심이 설시하는 바와 같은 불법행위를 구성하는 성희롱을 고용관계에 한정하여, 조건적 성희롱과 환경형 성희롱으로 구분하고,

특히 환경형의 성희롱의 경우, 그 성희롱의 태양이 중대하고 철저한 정도에 이르러야 하며, 불법행위가 성립하기 위하여는 가해자의 성적 언동 자체가 피해자의 업무수행을 부당히 간섭하고 적대적 굴욕적 근무환경을 조성함으로써 실제상 피해자가 업무능력을 저해당하였다거나 정신적인 안정에 중대한 영향을 입을 것을 요건으로 하는 것이므로 불법행위에 기한 손해배상을 청구하는 피해자로서는 가해자의 성희롱으로 말미암아 단순한 분노, 슬픔, 울화, 놀람을 초과하는 정신적 고통을 받았다는 점을 주장·입증하여야 한다는 견해는 이를 채택할 수 없는 것이다.

또한 피해자가 가해자의 성희롱을 거부하였다는 이유로 보복적으로 해고를 당하였다든지 아니면 근로환경에 부당한 간섭을 당하였다든지 하는 사정은 위자료를 산정하는 데에 참작사유가 되는 것에 불과할 뿐 불법행위의 성립 여부를 좌우하는 요소는 아니라 할 것이다.

(3) 그렇다면, 원심이 판시와 같은 이유로 피고 1의 위와 같은 성적 언동이 위법하지 아니하다고 하여 위 피고의 원고에 대한 불법행위에 기한 손해배상책임을 부정한 것은 불법행위를 구성하는 성희롱의 요건, 한계, 입증책임과 인격권 침해 등 정신적 손해의 배상에 관한 법리를 오해한 위법을 범한 것이라고 하지 아니할 수 없다. 이 점을 지적하는 논지는 이유 있다.

4. 원고의 피고 2 , 대한민국에 대한 청구에 관한 상고이유를 본다.

가. 민법 제756조에 규정된 사용자 책임의 요건인 '사무집행에 관하여'라는 뜻은 피용자의 불법행위

가 외형상 객관적으로 사용자의 사업활동 내지 사무집행행위 또는 그와 관련된 것이라고 보여질 때에는 행위자의 주관적 사정을 고려함이 없이 이를 사무집행에 관하여 한 행위로 본다는 것이고, 외형상 객관적으로 사용자의 사무집행에 관련된 것인지의 여부는 피용자의 본래 직무와 불법행위와의 관련 정도 및 사용자에게 손해발생에 대한 위험 창출과 방지조치 결여의 책임이 어느 정도 있는지를 고려하여 판단하여야 할 것인바 (대법원 1988. 11. 22. 선고 86다카1923 판결, 1992. 2. 25. 선고 91다39146 판결, 1996. 1. 26. 선고 95다46890 판결 참조), 원심이 적법하게 인정한 사실관계에 의하면 피고 1 의 성희롱 행위는 그 직무범위 내에 속하지 아니함은 물론 외관상으로 보더라도 그의 직무권한 내의 행위와 밀접하여 직무권한 내의 행위로 보여지는 경우라고 볼 수 없고, 달리 기록상 이를 인정할 만한 증거도 찾아볼 수 없다.

따라서 피고 1 의 성희롱 행위가 그의 사무집행에 관련된 것임을 전제로 하여, 피고 대한민국에 대하여는 사용자 본인으로서의, 피고 2 에 대하여는 사용자의 대리감독자로서의 각 사용자 책임을 묻는 원고의 청구는 이유 없어 이를 기각할 것인바, 원심은 그 이유를 달리 하였지만 결과적으로 원고의 청구를 기각한 결론은 정당하고, 거기에 소론과 같은 위법이 있다고 할 수 없다. 논지는 이유 없다.

나. 고용관계 또는 근로관계는 이른바 계속적 채권관계로서 인적 신뢰관계를 기초로 하는 것이므로, 고용계약에 있어 피용자가 신의칙상 성실하게 노무를 제공할 의무를 부담함에 대하여, 사용자로서는 피용자에 대한 보수지급의무 외에도 피용자의 인격을 존중하고 보호하며 피용자가 그의 의무를 이행하는 데 있어서 손해를 받지 아니하도록 필요한 조치를 강구하고 피용자의 생명, 건강, 풍기 등에 관한 보호시설을 하는 등 쾌적한 근로환경을 제공함으로써 피용자를 보호하고 부조할 의무를 부담하는 것은 당연한 것이지만, 앞서 본 바와 같이 피고 1의 성희롱 행위가 그의 사무집행과는 아무런 관련이 없을 뿐만 아니라, 또한 기록에 의하면 위 피고의 성희롱 행위 또한 은밀하고 개인적으로 이루어지고 원고로서도 이를 공개하지

마음의 상처 성희롱, 치유로서의 법학의 대흥

아니하여 피고 대한민국으로서는 이를 알거나 알수 있었다고도 보여지지 아니하므로, 이러한 경우에서까지 사용자인 피고 대한민국이 피용자인 원고에 대하여 고용계약상의 보호의무를 다하지 아니하였다고 할 수는 없다.

역시 이유를 달리하나, 고용계약상의 채무불이행에 기한, 원고의 피고 대한민국에 대한 손해배상청구를 기각한 원심의 결론은 정당하므로, 논지는 이유 없다.

다. 한편, 기록에 의하면 ○○대학교 총장인 피고 2 가 피고 1 의 성희롱 사실을 사전에 알거나 알수 있었고, 또한 피고 1 의 성희롱 사실을 사후에 은폐하려고 하였다고 보여지지 아니하고, 달리 이를 인정할 증거도 없으며, 앞서 본 바와 같이 위 피고 1 의 성희롱 행위가 위 피고의 사무집행에 관련된 것이라고 볼 수도 없으므로, 피고 2 가 원고에 대하여 불법행위자 본인으로서의 손해배상책임을 부담한다고 할 수 없다. 역시 이유를 달리하나 피고 2 본인의 불법행위에 기한, 원고의 피고 2 에 대한 손해배상청구를 기각한 원심의 결론은 정당하므로, 논지는 이유 없다.

5. 그러므로 원심판결 중 피고 1 에 관한 부분을 파기·환송하고, 원고의 피고 2 , 대한민국에 대한 상고를 기각하며, 상고기각된 부분에 관한 상고비용은 원고의 부담으로 하기로 하여 관여 법관들의 일치된 의견으로 주문과 같이 판결한다.

대법관 이임수(재판장) 최종영(주심) 이돈희 서성

제5장

교수의 성희롱 사건

[1] 성희롱이란 업무, 고용, 그 밖의 관계에서 국가기관·지방자치단체, 각급 학교, 공직유관단체 등 공공단체의 종사자, 직장의 사업주·상급자 또는 근로자가 ① 지위를 이용하거나 업무 등과 관련하여 성적 언동 또는 성적 요구 등으로 상대방에게 성적 굴욕감이나 혐오감을 느끼게 하는 행위

② 상대방이 성적 언동 또는 요구 등에 따르지 아니한다는 이유로 불이익을 주거나 그에 따르는 것을 조건으로 이익 공여의 의사표시를 하는 행위를

하는 것을 말한다.

[양성평등기본법 제3조 제2호, 남녀고용평등과 일·가정 양립 지원에 관한 법률 제2조 제2호, 국가인권위원회법 제2조 제3호 (라)목 등 참조].

여기에서 '성적 언동'이란 남녀 간의 육체적 관계나 남성 또는 여성의 신체적 특징과 관련된 육체적, 언어적, 시각적 행위로서 사회공동체의 건전한 상식과 관행에 비추어 볼 때, 객관적으로 상대방과 같은 처지에 있는 일반적이고도 평균적인 사람으로 하여금 성적 굴욕감이나 혐오감을 느끼게 할 수 있는 행위를 의미한다.

(대법원 2018. 4. 12. 선고 2017두74702 판결 [교원소청심사위원회결정취소]

[2] 성희롱이 성립하기 위해서는 행위자에게 반드시 성적 동기나 의도가 있어야 하는 것은 아니지만, 당사자의 관계, 행위가 행해진 장소 및 상황, 행위에 대한 상대방의 명시적 또는 추정적인 반응의 내용, 행위의 내용 및 정도, 행위가 일회적 또

는 단기간의 것인지 아니면 계속적인 것인지 등의 구체적 사정을 참작하여 볼 때, 객관적으로 상대방과 같은 처지에 있는 일반적이고도 평균적인 사람으로 하여금 성적 굴욕감이나 혐오감을 느낄 수 있게 하는 행위가 있고, 그로 인하여 행위의 상대방이 성적 굴욕감이나 혐오감을 느꼈음이 인정되어야 한다.

[3] 성희롱을 사유로 한 징계처분의 당부를 다투는 행정소송에서 징계사유에 대한 증명책임은 그 처분의 적법성을 주장하는 피고에게 있다.

다만 민사소송이나 행정소송에서 사실의 증명은 추호의 의혹도 없어야 한다는 자연과학적 증명이 아니고, 특별한 사정이 없는 한 경험칙에 비추어 모든 증거를 종합적으로 검토하여 볼 때 어떤 사실이 있었다는 점을 시인할 수 있는 고도의 개연성을 증명하는 것이면 충분하다.

민사책임과 형사책임은 지도이념과 증명책임, 증명의 정도 등에서 서로 다른 원리가 적용되므로, 징계사유인 성희롱 관련 형사재판에서 성희롱 행위가 있었다는 점을 합리적 의심을 배제할 정도로 확신하기 어렵다는 이유로 공소사실에 관하여 무죄가 선고되었다고 하여 그러한 사정만으로 행정소송에서 징계사유의 존재를 부정할 것은 아니다.

[4] 법원이 성희롱 관련 소송의 심리를 할 때에는 그 사건이 발생한 맥락에서 성차별 문제를 이해하고 양성평등을 실현할 수 있도록 '성인지 감수성'을 잃지 않아야 한다(양성평등기본법 제5조 제1항 참조). 그리하여 우리 사회의 가해자 중심적인 문화와 인식, 구조 등으로 인하여 피해자가 성희롱 사실을 알리고 문제를 삼는 과정에서 오히려 부정적 반응이나 여론, 불이익한 처우 또는 그로 인한 정신적 피해 등에 노출되는 이른바 '2차 피해'를 입을 수 있다는 점을 유념하여야 한다.

피해자는 이러한 2차 피해에 대한 불안감이나 두려움으로 인하여 피해를 당한 후에도 가해자와 종전의 관계를 계속 유지하는 경우도 있고, 피해사실을 즉시 신고하지 못하다가 다른 피해자 등 제3자가 문제를 제기하거나 신고를 권유한 것을 계기로 비로소 신고를 하는 경우도 있으며, 피해사실을 신고한 후에도 수사기관이나 법원에서 그에 관한 진술에 소극적인 태도를 보이는 경우도 적지 않다.

이와 같은 성희롱 피해자가 처하여 있는 특별한 사정을 충분히 고려하지 않은 채 피해자 진술의 증명력을 가볍게 배척하는 것은 정의와 형평의 이념에 입각하여 논리와 경험의 법칙에 따른 증거판단이라고 볼 수 없다.

【참조조문】

[1] 양성평등기본법 제3조 제2호 , 남녀고용평등과 일·가정 양립 지원에 관한 법률 제2조 제2호 , 국가인권위원회법 제2조 제3호 (라)목 / [2] 양성평등기본법 제3조 제2호 , 남녀고용평등과 일·가정 양립 지원에 관한 법률 제2조 제2호 , 국가인권위원회법 제2조 제3호 (라)목 / [3] 행정소송법 제26조 [증명책임] / [4] 행정소송법 제8조 제2항 , 민사소송법 제202조 , 양성평등기본법 제5조 제1항

【참조판례】

[2] 대법원 2007. 6. 14. 선고 2005두6461 판결 (공2007하, 1089) / [3] 대법원 2010. 10. 28. 선고 2008다6755 판결 (공2010하, 2141), 대법원 2015. 3. 12. 선고 2012다117492 판결

【원고, 피상고인】 원고
(소송대리인 법무법인 길상 담당변호사 강민정 외 1인)
【피　　고】 교원소청심사위원회
【피고보조참가인, 상고인】 피고보조참가인
(소송대리인 법무법인(유한) 태평양 담당변호사 박상현 외 4인)

【원심판결】 서울고법 2017. 11. 10. 선고 2017누34836 판결

【주문】
원심판결을 파기하고, 사건을 서울고등법원으로 환송한다.

【이유】
상고이유를 판단한다.

1. 사건의 경위

가. 원고는 학교법인 ○○학원 이 설립·운영하는 ○○△△대학교 의 컴퓨터계열 교수이고, 피해자 소외 1 , 소외 2 는 소속 학과 학생들이다.

나. 피고보조참가인은 2015. 4. 10. 원고가 소속 학과 여학생들에게 다음과 같은 행위 등을 포함하여 수차례 성희롱 및 성추행 행위를 하였고 이는 사립학교법 제61조 제1항 각호 의 징계사유에 해당한다는 사유로 원고를 해임하였다.

(1) 피해자 소외 1 관련 징계사유

① 소외 1 이 봉사활동을 위한 추천서를 받기 위해 친구들과 함께 원고의 연구실을 방문했을 때, 뽀뽀해 주면 추천서를 만들어 주겠다고 하였다(제1-2 징계사유).
② 수업 중 질문을 하면 소외 1 을 뒤에서 안는

듯한 포즈로 지도하였다(제1-3 징계사유).

③ 소외 1 이 원고의 연구실을 찾아가면 "남자친구와 왜 사귀냐, 나랑 사귀자", "나랑 손잡고 밥 먹으러 가고 데이트 가자", "엄마를 소개시켜 달라"고 하는 등 불쾌한 말을 하였다(제1-4 징계사유).

(2) 피해자 소외 2 관련 징계사유

① 수업시간에 소외 2 를 뒤에서 안는 식으로 지도하고 불필요하게 소외 2 와 한 의자에 앉아 가르쳐 주며 신체적 접촉을 많이 하였다(제3-1 징계사유).

② 복도에서 소외 2 와 마주칠 때 얼굴에 손대기, 어깨동무, 허리에 손 두르기와 함께 손으로 엉덩이를 툭툭 치는 행위를 하였다(제3-2 징계사유).

③ 소외 2 와 단 둘이 있을 때 팔을 벌려 안았다(제3-3 징계사유).

④ 학과 MT에서 아침에 자고 있던 소외 2 의 볼에 뽀뽀를 2차례 하여 정신적 충격을 주었다(제3-4 징계사유).

⑤ 장애인 교육 신청서를 제출하러 간 소외 2 에

게 자신의 볼에 **뽀뽀**를 하면 신청서를 받아 주겠다고 하여 소외 2 가 어쩔 수 없이 원고의 볼에 **뽀뽀**를 하였다(제3-5 징계사유).

다. 원고는 징계에 불복하여 2015. 5. 7. 피고에 대하여 소청심사를 청구하였고, 피고가 원고 청구를 모두 기각하는 결정을 하자, 그 취소를 구하는 이 사건 소송을 제기하였다.

2. 원심의 판단

가. 피해자 소외 1 관련 징계사유에 관하여

(1) 제1-3 징계사유 가운데 소위 '백허그'를 하였다는 것은, 교수인 원고가 많은 학생들이 수업을 받는 실습실에서 그러한 행위를 시도하였다는 것을 상상하기 어려울 뿐만 아니라, 위 피해자가 익명으로 이루어진 강의평가에서 이에 대한 언급 없이 원고의 교육방식을 긍정적으로 평가한 점 등에 비추어 볼 때 발생사실 자체를 인정하기 어렵다. 다만 원고가 위 피해자의 손 위로 마우스를 잡거나 어깨동무를 하는 등의 불필요한 신체적 접촉을

한 사실은 인정할 수 있지만, 이는 원고의 적극적인 교수방법에서 비롯된 것이고 위 피해자가 그 후에도 계속하여 원고의 수업을 수강한 점 등에 비추어 볼 때 일반적이고 평균적인 사람의 입장에서 성적 굴욕감이나 혐오감을 느낄 수 있는 정도에 이른 것이라고 보기 어렵다.

(2) 제1-2, 제1-4 징계사유와 같은 말을 한 사실은 인정할 수 있고 이는 부적절한 면이 없지 않지만, 원고는 평소 위 피해자를 비롯한 소속 학과 학생들과 격의 없고 친한 관계를 유지하면서 자주 농담을 하거나 가족 이야기, 연애상담을 나누기도 한 점, 원고와 위 피해자의 대화 가운데 극히 일부분을 전체적인 맥락을 고려하지 않은 채 문제 삼는 것은 부적절하다는 점 등을 고려하여 보면 이는 피해자인 여학생의 입장에서 성적 굴욕감이나 혐오감을 느꼈다고 보기 어렵다.

나. 피해자 소외 2 관련 징계사유에 관하여

제3-1 내지 5 징계사유에 관한 피해자 소외 2 의 진술은 다음과 같은 이유로 신빙성을 인정하기 곤

란하다. 그리고 그 진술 내용에 의하더라도 원고의 강의에 대한 학생들의 평가가 매우 좋았던 점, 원고가 평소 친밀감의 표현으로 다수의 제자들을 향하여 팔을 벌려 안으려는 듯한 자세를 취한 것을 과장한 것이 아닌가 의심이 드는 점, 위 피해자가 원고에게 뽀뽀를 한 것은 그녀의 친구들이 벌인 장난 가운데 일어난 일로서 원고가 이를 강요하였다고 볼 수 없는 점 등에 비추어 볼 때 그 징계사유를 모두 인정할 수 없다.

첫째로, 피해자 소외 2 는 최초 소외 1 의 부탁을 받고 자신의 성희롱 사건도 함께 신고하게 된 것인데, 자신의 피해사실에 대하여는 형사고소 이후 수사기관이나 법원에서 진술을 거부하면서도 소외 1 의 피해사실에 대하여는 증인으로 출석하여 자유롭게 진술하고 있는데, 이를 성희롱 내지 성추행 피해자로서의 대응이라고 볼 수 있을지 의문이다.

둘째, 위 피해자가 자신의 진술서를 작성한 것은 2014. 12. 17. 무렵인데, 그 기재 내용은 2013년부터 2014년 전반기까지 일어난 일들이어서 소외

1 의 권유 또는 부탁이 없었더라면 과연 한참 전의 원고 행위를 비난하거나 신고하려는 의사가 있었는지 의심스럽다.

셋째, 위 피해자는 이전에는 원고와 격의 없이 지내다가 이 사건 해임처분이 있은 이후로는 원고를 만나는 것을 피하고 있는 것으로 보이는데, 이로 미루어 볼 때 위 피해자가 자신의 피해사실에 대하여 수사기관 등에서 진술을 거부한 이유는 자신의 신고로 인한 책임추궁이 두렵기 때문으로 의심된다.

넷째, 위 피해자는 원고에 대한 형사고소를 하지 않을 것을 약속하는 각서를 작성하여 주는 대신 원고에게도 자신에 대한 법적 대응을 하지 않도록 요구하여 그러한 내용의 원고 명의 각서를 공증사무소에서 인증받기까지 하였는데, 이는 통상 피해자가 단순히 가해자를 용서하는 합의를 하여주는 행동이라고 보기에는 이례적이다.

다. 징계양정에 관하여

가사 위 징계사유가 모두 인정된다고 하더라도, 원고의 언동은 좁은 실습실에서 소위 맨투맨식 강의방법으로 적극적인 수업을 하고 학생들과 격의 없이 대화하고 농담도 하며 친밀하게 지내던 중에 아무런 고의 없이 이루어진 일이라는 점, 여학생들도 대부분 당시에는 별다른 문제점을 느끼지 못하고 심각하게 받아들이지 아니하였다가 짧게는 3개월 길게는 1년 이상의 세월이 흐른 후에 피해자 소외 1 의 문제 제기로 인하여 신고하게 된 것이라는 점 및 이 사건 발생 경위와 피해 정도에 비추어 볼 때, 이 사건 해임처분은 원고 행위의 비위 정도에 비추어 지나치게 무거워 징계 재량권의 범위를 일탈·남용한 것으로서 위법하다.

3. 대법원의 판단

가. 성희롱의 판단 기준 및 증명책임에 관하여

(1) 성희롱이란 업무, 고용, 그 밖의 관계에서 국가기관·지방자치단체, 각급 학교, 공직유관단체 등 공공단체의 종사자, 직장의 사업주·상급자 또는

근로자가 ① 지위를 이용하거나 업무 등과 관련하여 성적 언동 또는 성적 요구 등으로 상대방에게 성적 굴욕감이나 혐오감을 느끼게 하는 행위, ② 상대방이 성적 언동 또는 요구 등에 따르지 아니한다는 이유로 불이익을 주거나 그에 따르는 것을 조건으로 이익 공여의 의사표시를 하는 행위를 하는 것을 말한다[양성평등기본법 제3조 제2호, 남녀고용평등과 일·가정 양립 지원에 관한 법률 제2조 제2호, 국가인권위원회법 제2조 제3호 (라)목 등 참조].

여기에서 '성적 언동'이란, 남녀 간의 육체적 관계나 남성 또는 여성의 신체적 특징과 관련된 육체적, 언어적, 시각적 행위로서 사회공동체의 건전한 상식과 관행에 비추어 볼 때, 객관적으로 상대방과 같은 처지에 있는 일반적이고도 평균적인 사람으로 하여금 성적 굴욕감이나 혐오감을 느끼게 할 수 있는 행위를 의미한다.

성희롱이 성립하기 위해서는 행위자에게 반드시 성적 동기나 의도가 있어야 하는 것은 아니지만, 당사자의 관계, 행위가 행해진 장소 및 상황, 행위에 대한 상대방의 명시적 또는 추정적인 반응의 내용, 행위의 내용 및 정도, 행위가 일회적 또는 단기간의 것인지 아니면 계속적인 것인지 여부 등의 구체적 사정을 참작하여 볼 때, 객관적으로 상대방과 같은 처지에 있는 일반적이고도 평균적인 사람으로 하여금 성적 굴욕감이나 혐오감을 느낄 수 있게 하는 행위가 있고, 그로 인하여 행위의 상대방이 성적 굴욕감이나 혐오감을 느꼈음이 인정되어야 한다 (대법원 2007. 6. 14. 선고 2005두6461 판결 등 참조).

(2) 성희롱을 사유로 한 징계처분의 당부를 다투는 행정소송에서 징계사유에 대한 증명책임은 그 처분의 적법성을 주장하는 피고에게 증명책임이 있다. 다만 민사소송이나 행정소송에서 사실의 증명은 추호의 의혹도 없어야 한다는 자연과학적 증

명이 아니고, 특별한 사정이 없는 한 경험칙에 비추어 모든 증거를 종합적으로 검토하여 볼 때 어떤 사실이 있었다는 점을 시인할 수 있는 고도의 개연성을 증명하는 것이면 충분하다 (대법원 2010. 10. 28. 선고 2008다6755 판결 등 참조).

민사책임과 형사책임은 그 지도이념과 증명책임, 증명의 정도 등에서 서로 다른 원리가 적용되므로, 징계사유인 성희롱 관련 형사재판에서 성희롱 행위가 있었다는 점을 합리적 의심을 배제할 정도로 확신하기 어렵다는 이유로 공소사실에 관하여 무죄가 선고되었다고 하여 그러한 사정만으로 행정소송에서 징계사유의 존재를 부정할 것은 아니다 (대법원 2015. 3. 12. 선고 2012다117492 판결 등 참조).

법원이 성희롱 관련 소송의 심리를 할 때에는 그 사건이 발생한 맥락에서 성차별 문제를 이해하고 양성평등을 실현할 수 있도록 '성인지 감수성'을 잃지 않아야 한다(양성평등기본법 제5조 제1항 참조). 그리하여 우리 사회의 가해자 중심적인 문화와 인식, 구조 등으로 인하여 피해자가 성희롱 사실을 알리고 문제를 삼는 과정에서 오히려 부정적 반응이나 여론, 불이익한 처우 또는 그로 인한 정신적 피해 등에 노출되는 이른바 '2차 피해'를 입을 수 있다는 점을 유념하여야 한다.

피해자는 이러한 2차 피해에 대한 불안감이나 두려움으로 인하여 피해를 당한 후에도 가해자와 종전의 관계를 계속 유지하는 경우도 있고, 피해사실을 즉시 신고하지 못하다가 다른 피해자 등 제3자가 문제를 제기하거나 신고를 권유한 것을 계기로 비로소 신고를 하는 경우도 있으며, 피해사실을 신고한 후에도 수사기관이나 법원에서 그에 관한 진술에 소극적인 태도를 보이는 경우도 적지 않다. 이와 같은 성희롱 피해자가 처하여 있는 특별한 사정을 충분히 고려하지 않은 채 피해자 진술의 증명력을 가볍게 배척하는 것은 정의와 형평의 이념에 입각하여 논리와 경험의 법칙에 따른 증거판단이라고 볼 수 없다.

나. 징계사유의 존부에 관하여

(1) 위 법리에 비추어 원심이 제1-3, 제3-1 내지 5 징계사유인 성희롱 사실 발생 자체를 인정할 수 없다고 판단한 부분을 살펴본다.

먼저 원심은 제1-3 징계사유와 관련하여 원고가 수업 중에 실습실에서 소위 '백허그'를 하였다는 것은 상상하기 어렵다고 판단하였다. 원심은 위 행위 외의 다른 부분에 대해서는 원고가 피해자 소외 1 에 대하여 불필요한 신체 접촉을 한 사실을 인정하면서도, 위 행위 부분에 대해서는 위 피해자가 익명으로 이루어진 강의평가에서 이에 대한 언급 없이 원고의 교육방식을 긍정적으로 평가하였다든가 또는 그 후에도 계속하여 원고의 수업을 수강한 점 등을 근거로 피해자 진술의 증명력을 가볍게 배척하였다. 그러나 이는 앞서 본 법리에 비추어 볼 때 법원이 충분히 심리를 한 끝에 상반되는 증거를 비교·대조하여 증명력을 평가하여 내린 결론이라고 보기 어렵다.

다음으로 제3-1 내지 5 징계사유에 관한 피해자 소외 2 의 진술을 배척한 이유들 역시 선뜻 받아들이기 어렵다. 피해자가 자신의 성희롱 피해 진술에 소극적이었다거나 성희롱 사실 발생 후 일정 시간이 경과한 후에 문제를 제기했다는 등의 사정이 피해자 진술을 가볍게 배척할 사유가 아님은 이미 살펴본 바와 같다. 특히 원심이 소외 1 의 권유 또는 부탁이 없었더라면 과연 피해자에게 한 참 전의 원고 행위를 비난하거나 신고하려는 의사가 있었는지 의심스럽다고 한 부분은 성희롱 사실 발생 자체를 배척하는 근거로 삼기에 적절하지 않다.

(2) 제1-2, 제1-3, 제1-4 징계사유에 관한 원심판

단을 살펴본다.

원심이, 제1-2, 제1-4 징계사유와 관련하여 원고와 피해자의 대화 가운데 극히 일부분을 전체적인 맥락을 고려하지 않은 채 문제 삼는 것은 적절하지 않다고 판단한 것 자체는 옳다. 그러나 원심이 이에 관하여 원고가 평소 학생들과 격의 없고 친한 관계를 유지하면서 자주 농담을 하거나 가족 이야기, 연애상담을 나누기도 한 점 등을 이유로 들고, 제1-3 징계사유와 관련하여 원고가 피해자에 대하여 불필요한 신체 접촉을 한 사실이 인정되더라도 이는 원고의 적극적인 교수방법에서 비롯된 것이고 피해자가 성희롱 사실 이후에도 계속하여 원고의 수업을 수강한 점 등을 이유로 들어 원고의 행위가 일반적이고 평균적인 사람의 입장에서 성적 굴욕감이나 혐오감을 느낄 수 있는 정도에 이른 것이라고 보기 어렵다고 판단한 부분은 수긍할 수 없다. 이와 같은 이유 설시는 자칫 법원이 성희롱 피해자들이 처한 특별한 사정을 고려하지 않은 채 은연중에 가해자 중심적인 사고와 인식을 토대로 평가를 내렸다는 오해를 불러일으킬 수 있어 적절하지 않다.

원고의 행위가 성희롱에 해당하는지 여부는 가해자가 교수이고 피해자가 학생이라는 점, 성희롱 행위가 학교 수업이 이루어지는 실습실이나 교수의 연구실 등에서 발생하였고, 학생들의 취업 등에 중요한 교수의 추천서 작성 등을 빌미로 성적 언동이 이루어지기도 한 점, 이러한 행위가 일회적인 것이 아니라 계속적으로 이루어져 온 정황이 있는 점 등을 충분히 고려하여 우리 사회 전체의 일반적이고 평균적인 사람이 아니라 피해자들과 같은 처지에 있는 평균적인 사람의 입장에서 성적 굴욕감이나 혐오감을 느낄 수 있는 정도였는지를 기준으로 심리·판단하였어야 옳았다.

다. 소결
그런데도 원심은 이와 달리 앞서 본 이유만을 들

어 피해자들의 진술을 배척하거나 원고의 언동이 성희롱에 해당하지 않는다고 보아 이 사건 징계사유들이 인정되지 않는다고 단정하였다. 이러한 원심판단에는 논리와 경험의 법칙에 반하여 자유심증주의의 한계를 벗어나거나 성희롱의 성립 요건 및 증명책임에 관한 법리를 오해하여 심리를 다하지 않는 등으로 판결에 영향을 미친 잘못이 있다.

4. 결론
그러므로 나머지 상고이유에 대한 판단을 생략한 채 원심판결을 파기하고, 사건을 다시 심리·판단하도록 원심법원에 환송하기로 하여, 관여 대법관의 일치된 의견으로 주문과 같이 판결한다.

대법관 고영한(재판장) 김소영 권순일(주심) 조재연

제 6장

직장 내 성희롱

[1] 사업주가 '직장 내 성희롱과 관련하여 피해를 입은 근로자 또는 성희롱 피해 발생을 주장하는 근로자'에게 해고나 그 밖의 불리한 조치를 한 경우, 민법 제750조 의 불법행위가 성립하는지 여부 (원칙적 적극) 및 사업주의 조치가 피해근로자 등에 대한 불리한 조치로서 위법한 것인지 판단하는 기준 / 피해근로자 등에 대한 불리한 조치가 성희롱과 관련성이 없거나 정당한 사유가 있다는 점에 대한 증명책임의 소재(=사업주)

[2] 사업주가 '직장 내 성희롱과 관련하여 피해를

입은 근로자 또는 성희롱 피해 발생을 주장하는 근로자'를 도와준 동료 근로자에게 부당한 내용의 불리한 조치를 함으로써 피해근로자 등에게 정신적 고통을 입힌 경우, 피해근로자 등이 사업주에게 민법 제750조 에 따라 불법행위책임을 물을 수 있는지 여부(적극) / 이 경우 사업주가 피해근로자 등의 손해를 알았거나 알 수 있었을 경우에 한하여 배상책임이 있는지 여부(적극) 및 이때 예견가능성이 있는지 판단하는 기준

[3] 직장 내 성희롱 사건에 대한 조사가 진행되는 경우, 조사참여자에게 비밀누설 금지의무가 있는지 여부(적극) 및 사용자가 조사참여자에게 위 의무를 준수하도록 하여야 하는지 여부(적극) / 피용자가 고의로 다른 사람에게 성희롱 등 가해행위를 한 경우, 사용자책임의 성립요건인 '사무집행에 관하여'에 해당한다고 보기 위한 요건

【판결요지】

[1] 남녀고용평등과 일·가정 양립 지원에 관한 법률(2017. 11. 28. 법률 제15109호로 개정되기 전

마음의 상처 성희롱, 치유로서의 법학의 대흥

의 것, 이하 '남녀고용평등법'이라 한다)은 직장 내 성희롱이 법적으로 금지되는 행위임을 명확히 하고 사업주에게 직장 내 성희롱에 관한 사전 예방의무와 사후 조치의무를 부과하고 있다. 특히 사업주는 직장 내 성희롱과 관련하여 피해를 입은 근로자뿐만 아니라 성희롱 발생을 주장하는 근로자에게도 불리한 조치를 해서는 안 되고, 그 위반자는 형사처벌을 받는다는 명문의 규정을 두고 있다.

직장 내 성희롱이 발생한 경우 사업주는 피해자를 적극적으로 보호하여 피해를 구제할 의무를 부담하는데도 오히려 불리한 조치나 대우를 하기도 한다. 이러한 행위는 피해자가 피해를 감내하고 문제를 덮어버리도록 하는 부작용을 초래할 뿐만 아니라, 피해자에게 성희롱을 당한 것 이상의 또 다른 정신적 고통을 줄 수 있다. 위 규정은 직장 내 성희롱 피해를 신속하고 적정하게 구제할 뿐만 아니라 직장 내 성희롱을 예방하기 위한 것으로, 피해자가 직장 내 성희롱에 대하여 문제를 제기할 때 2차적 피해를 염려하지 않고 사업주가 가해자를 징계하는 등 적절한 조치를 하리라고 신뢰하도록 하는 기능을 한다.

사업주가 직장 내 성희롱과 관련하여 피해를 입은 근로자 또는 성희롱 피해 발생을 주장하는 근로자 (이하 '피해근로자 등'이라 한다)에게 해고나 그 밖의 불리한 조치를 한 경우에는 남녀고용평등법 제14조 제2항 을 위반한 것으로서 민법 제750조 의 불법행위가 성립한다.

그러나 사업주의 피해근로자 등에 대한 조치가 직장 내 성희롱 피해나 그와 관련된 문제 제기와 무관하다면 위 제14조 제2항 을 위반한 것이 아니다. 또한 사업주의 조치가 직장 내 성희롱과 별도의 정당한 사유가 있는 경우에도 위 조항 위반으로 볼 수 없다.

사업주의 조치가 피해근로자 등에 대한 불리한 조치로서 위법한 것인지 여부는 불리한 조치가 직장 내 성희롱에 대한 문제 제기 등과 근접한 시기에 있었는지, 불리한 조치를 한 경위와 과정, 불리한 조치를 하면서 사업주가 내세운 사유가 피해근로자 등의 문제 제기 이전부터 존재하였던 것인지,

피해근로자 등의 행위로 인한 타인의 권리나 이익 침해 정도와 불리한 조치로 피해근로자 등이 입은 불이익 정도, 불리한 조치가 종전 관행이나 동종 사안과 비교하여 이례적이거나 차별적인 취급인지 여부, 불리한 조치에 대하여 피해근로자 등이 구제신청 등을 한 경우에는 그 경과 등을 종합적으로 고려하여 판단해야 한다.

남녀고용평등법은 관련 분쟁의 해결에서 사업주가 증명책임을 부담한다는 규정을 두고 있는데(제30조), 이는 직장 내 성희롱에 관한 분쟁에도 적용된다. 따라서 직장 내 성희롱으로 인한 분쟁이 발생한 경우에 피해근로자 등에 대한 불리한 조치가 성희롱과 관련성이 없거나 정당한 사유가 있다는 점에 대하여 사업주가 증명을 하여야 한다.

[2] 남녀고용평등과 일·가정 양립 지원에 관한 법률(2017. 11. 28. 법률 제15109호로 개정되기 전의 것, 이하 '남녀고용평등법'이라 한다) 제14조 제2항 은 사업주가 직장 내 성희롱과 관련하여 피해를 입은 근로자 또는 성희롱 피해 발생을 주장하는 근로자(이하 '피해근로자 등'이라 한다)에게

해고나 그 밖의 불리한 조치를 하여서는 안 된다
고 규정하고 있을 뿐이다.

따라서 사업주가 피해근로자 등이 아니라 그에게
도움을 준 동료 근로자에게 불리한 조치를 한 경
우에 남녀고용평등법 제14조 제2항 을 직접 위반
하였다고 보기는 어렵다.

그러나 사업주가 피해근로자 등을 가까이에서 도
와준 동료 근로자에게 불리한 조치를 한 경우에
그 조치의 내용이 부당하고 그로 말미암아 피해근
로자 등에게 정신적 고통을 입혔다면, 피해근로자
등은 불리한 조치의 직접 상대방이 아니더라도 사
업주에게 민법 제750조 에 따라 불법행위책임을
물을 수 있다.

사업주는 직장 내 성희롱 발생 시 남녀고용평등법
령에 따라 신속하고 적절한 근로환경 개선책을 실
시하고, 피해근로자 등이 후속 피해를 입지 않도
록 적정한 근로여건을 조성하여 근로자의 인격을
존중하고 보호할 의무가 있다. 그런데도 사업주가
피해근로자 등을 도와준 동료 근로자에게 부당한

징계처분 등을 하였다면, 특별한 사정이 없는 한 사업주가 피해근로자 등에 대한 보호의무를 위반한 것으로 볼 수 있다.

한편 피해근로자 등을 도와준 동료 근로자에 대한 징계처분 등으로 말미암아 피해근로자 등에게 손해가 발생한 경우 이러한 손해는 특별한 사정으로 인한 손해에 해당한다. 따라서 사업주는 민법 제763조, 제393조에 따라 이러한 손해를 알았거나 알 수 있었을 경우에 한하여 손해배상책임이 있다고 보아야 한다.

이때 예견가능성이 있는지 여부는 사업주가 도움을 준 동료 근로자에 대한 징계처분 등을 한 경위와 동기, 피해근로자 등이 성희롱 피해에 대한 이의제기나 권리를 구제받기 위한 행위를 한 시점과 사업주가 징계처분 등을 한 시점 사이의 근접성, 사업주의 행위로 피해근로자 등에게 발생할 것으로 예견되는 불이익 등 여러 사정을 고려하여 판단하여야 한다.

특히 사업주가 피해근로자 등의 권리 행사에 도움을 준 근로자가 누구인지 알게 된 직후 도움을 준

근로자에게 정당한 사유 없이 차별적으로 부당한 징계처분 등을 하는 경우에는, 그로 말미암아 피해근로자 등에게도 정신적 고통이 발생하리라는 사정을 예견할 수 있다고 볼 여지가 크다.

[3] 현행 남녀고용평등과 일·가정 양립 지원에 관한 법률(2017. 11. 28. 법률 제15109호로 개정되기 전의 것, 이하 '남녀고용평등법'이라 한다)에는 명문의 규정이 없지만, 개정 남녀고용평등법 제14조 제7항 본문은 직장 내 성희롱 발생 사실을 조사한 사람, 조사 내용을 보고 받은 사람 또는 그 밖에 조사 과정에 참여한 사람(이하 '조사참여자'라 한다)은 해당 조사 과정에서 알게 된 비밀을 직장 내 성희롱과 관련하여 피해를 입은 근로자 또는 성희롱 피해 발생을 주장하는 근로자(이하 '피해근로자 등'이라 한다)의 의사에 반하여 다른 사람에게 누설해서는 안 된다고 정하여 조사참여자의 비밀누설 금지의무를 명시하고 있다.

위 개정 법률이 시행되기 전에도 개인의 인격권, 사생활의 비밀과 자유를 보장하는 헌법 제10조, 제17조, 직장 내 성희롱의 예방과 피해근로자 등을 보호하고자 하는 남녀고용평등법의 입법 취지와 직장 내 성희롱의 특성 등에 비추어, 직장 내 성희롱 사건에 대한 조사가 진행되는 경우 조사참여자는 특별한 사정이 없는 한 비밀을 엄격하게 지키고 공정성을 잃지 않아야 한다. 조사참여자가 직장 내 성희롱 사건을 조사하면서 알게 된 비밀을 누설하거나 가해자와 피해자의 사회적 가치나 평가를 침해할 수 있는 언동을 공공연하게 하는 것은 위법하다고 보아야 한다.

위와 같은 언동으로 말미암아 피해근로자 등에게 추가적인 2차 피해가 발생할 수 있고, 이는 결국 피해근로자 등으로 하여금 직장 내 성희롱을 신고하는 것조차 단념하도록 할 수 있기 때문에, 사용자는 조사참여자에게 위와 같은 의무를 준수하도록 하여야 한다.

한편 민법 제756조 에 규정된 사용자책임의 요건인 '사무집행에 관하여'라 함은 피용자의 불법행위가 외형상 객관적으로 사용자의 사업활동, 사무집행행위 또는 그와 관련된 것이라고 보일 때에는 행위자의 주관적 사정을 고려하지 않고 사무집행에 관하여 한 행위로 본다는 것이다.

피용자가 고의로 다른 사람에게 성희롱 등 가해행위를 한 경우 그 행위가 피용자의 사무집행 그 자체는 아니더라도 사용자의 사업과 시간적·장소적으로 근접하고 피용자의 사무의 전부 또는 일부를 수행하는 과정에서 이루어지거나 가해행위의 동기가 업무처리와 관련된 것이라면 외형적·객관적으로 사용자의 사무집행행위와 관련된 것이라고 보아 사용자책임이 성립한다. 이때 사용자가 위험발생을 방지하기 위한 조치를 취하였는지 여부도 손해의 공평한 부담을 위하여 부가적으로 고려할 수 있다.

【참조조문】

[1] 남녀고용평등과 일·가정 양립 지원에 관한 법률(2017. 11. 28. 법률 제15109호로 개정되기 전의 것) 제2조 제2호 , 제12조 , 제13조 제1항 , 제14조 , 제30조 , 제37조 제2항 제2호 , 민법 제750조 , 민사소송법 제288조 / [2] 남녀고용평등과 일·가정 양립 지원에 관한 법률(2017. 11. 28.

법률 제15109호로 개정되기 전의 것) 제14조 , 민법 제393조 , 제750조 , 제763조 / [3] 헌법 제10조 , 제17조 , 남녀고용평등과 일·가정 양립 지원에 관한 법률(2017. 11. 28. 법률 제15109호로 개정되기 전의 것) 제14조 , 민법 제756조

【참조판례】
[3] 대법원 2009. 10. 15. 선고 2009다44457, 44464 판결

【전문】

【원고, 피상고인 겸 상고인】 원고
(소송대리인 법무법인 여는 담당변호사 이종희)

【피고, 상고인 겸 피상고인】 르노삼성자동차 주식회사 (소송대리인 법무법인 아이앤에스 담당변호사 정희선 외 1인)
【대상판결】

【원심판결】 서울고법 2015. 12. 18. 선고 2015나2003264 판결

【주문】

원심판결의 원고 패소 부분 중 원고에 대한 2013. 9. 4.자 견책처분, 2013. 12. 11.자 직무정지와 대기발령, 소외 1 에 대한 2013. 7. 19.자 정직처분에 관한 손해배상청구 부분을 파기하고, 이 부분 사건을 서울고등법원에 환송한다. 피고의 상고를 기각한다.

【이유】

상고이유(상고이유서 제출 기간이 지난 다음 제출된 원고와 피고의 참고서면들은 상고이유를 보충하는 범위에서)를 판단한다.

1. 이 사건의 경과와 주요 쟁점

가. 피고의 근로자인 원고는 2013. 6. 11. 피고와 제1심 공동피고 소외 2 를 상대로 직장 내 성희롱을 이유로 손해배상을 구하는 이 사건 소를 제기하였다. 소외 2 에 대한 청구원인은 소외 2 가 원고의 상급자이자 소속팀장으로서 원고에게 성희

롱을 하였다는 것이다. 그리고 피고에 대한 청구원인은 ① 소외 2 의 위와 같은 성희롱과 ② 피고의 인사팀 소속 직원인 소외 3 등이 위 성희롱 사건을 조사하는 과정에서 한 명예훼손 발언 등에 관하여 피고가 사용자책임을 진다는 것이다.

원고는 그 후 ① 원고를 도와준 소외 1 에 대한 2013. 7. 19.자 정직처분, ② 원고에 대한 2013. 9. 4.자 견책처분, ③ 원고에 대한 2013. 10. 17.자 업무배치 통보, ④ 원고에 대한 2013. 12. 11.자 직무정지와 대기발령 등이 남녀고용평등과 일·가정 양립 지원에 관한 법률(이하 '남녀고용평등법'이라 한다) 제14조 제2항 에서 금지하는 '불리한 조치'에 해당한다는 등의 이유로 피고에 대한 손해배상청구를 추가하였다.

나. 제1심은 원고의 소외 2 에 대한 청구를 일부 인용하고, 피고에 대한 청구와 소외 2 에 대한 나머지 청구를 모두 기각하였다. 원고는 제1심판결 중 피고를 상대로 한 청구 부분에 대해서만 항소하였고, 소외 2 에 대한 부분은 그대로 확정되었다.

다. 원심은 다음과 같이 원고의 피고에 대한 청구를 일부 인용하였다.

(1) 소외 2 의 성희롱에 관하여 피고의 사용자책임 자체는 인정된다. 그러나 '피고가 사용자책임에 따라 원고에게 배상해야 할 위자료 700만 원과 지연손해금 채무 전부가 제1심판결 선고 후 소외 2 의 변제로 모두 소멸하였다.'는 피고의 예비적 변제 항변이 이유 있으므로, 결국 소외 2 의 성희롱에 관하여 피고의 사용자책임을 묻는 원고의 청구는 이유 없다.

한편 이와 별도로 성희롱 관련 조사업무를 담당하던 소외 3 의 발언과 관련해서는 피고의 사용자책임이 인정된다.

(2) 위 가.에서 본 바와 같이 추가된 4가지 청구 중에서는 '③ 원고에 대한 2013. 10. 17.자 업무배치 통보'와 관련한 청구가 인정될 뿐이고, '① 소외 1 에 대한 2013. 7. 19.자 정직처분, ② 원고에 대한 2013. 9. 4.자 견책처분, ④ 원고에 대

한 2013. 12. 11.자 직무정지와 대기발령 등'과 관련한 청구는 인정되지 않는다.

라. 원고는 원심에서 배척된 위 ①, ②, ④ 청구 부분에 대하여 상고하였고, 피고는 피고 패소 부분에 대하여 상고하였다.

마. 결국 이 사건의 쟁점은 첫째, 원고를 도와준 소외 1 에 대한 2013. 7. 19.자 정직처분, 원고에 대한 2013. 9. 4.자 견책처분, 2013. 12. 11.자 직무정지와 대기발령과 관련하여 피고의 손해배상 책임이 인정되는지 여부, 둘째, 원고에 대한 2013. 10. 17.자 업무배치, 성희롱 관련 조사업무 를 담당하던 소외 3 의 발언과 관련하여 피고의 사용자책임이 인정되는지 여부이다.

2. '직장 내 성희롱' 피해자에 대한 불리한 조치로 인한 불법행위책임

가. 남녀고용평등법은 '직장 내 성희롱'에 관하여 다음과 같이 규정하고 있다(2017. 11. 28. 개정된 내용은 2018. 5. 29. 시행될 예정인데, 직장 내

성희롱에 관하여 현행법보다 더 상세한 규정을 두고 있다).

'직장 내 성희롱'이란 사업주·상급자 또는 근로자가 직장 내의 지위를 이용하거나 업무와 관련하여 다른 근로자에게 성적 언동 등으로 성적 굴욕감 또는 혐오감을 느끼게 하거나 성적 언동 또는 그 밖의 요구 등에 따르지 않았다는 이유로 고용에서 불이익을 주는 것을 말한다(제2조 제2호).

사업주·상급자 또는 근로자는 직장 내 성희롱을 하여서는 안 된다(제12조). 사업주는 직장 내 성희롱을 예방하고 근로자가 안전한 근로환경에서 일할 수 있는 여건을 조성하기 위하여 직장 내 성희롱을 예방하기 위한 교육을 실시하여야 한다(제13조 제1항).

사업주는 직장 내 성희롱 발생이 확인된 경우 지체 없이 행위자에 대하여 징계나 그 밖에 이에 준하는 조치를 하여야 한다(제14조 제1항). 사업주는 직장 내 성희롱과 관련하여 피해를 입은 근로자 또는 성희롱 피해 발생을 주장하는 근로자 (이하 '피해근로자 등'이라 한다)에게 해고나 그 밖의 불리한 조치를 하여서는 안 된다(제14조 제2항). 남녀고용평등법과 관련한 분쟁해결에서 증명책임은 사업주가 부담한다(제30조). 사업주가 제14조 제2항 을 위반하여 피해근로자 등에게 해고나 그 밖의 불리한 조치를 하는 경우에는 3년 이하의 징역 또는 2천만 원 이하의 벌금에 처한다 (제37조 제2항 제2호).

나. 남녀고용평등법은 직장 내 성희롱이 법적으로 금지되는 행위임을 명확히 하고 사업주에게 직장 내 성희롱에 관한 사전 예방의무와 사후 조치의무를 부과하고 있다. 특히 사업주는 직장 내 성희롱과 관련하여 피해를 입은 근로자뿐만 아니라 성희롱 발생을 주장하는 근로자에게도 불리한 조치를 해서는 안 되고, 그 위반자는 형사처벌을 받는다는 명문의 규정을 두고 있다.

직장 내 성희롱이 발생한 경우 사업주는 피해자를 적극적으로 보호하여 피해를 구제할 의무를 부담하는데도 오히려 불리한 조치나 대우를 하기도 한다. 이러한 행위는 피해자가 그 피해를 감내하고 문제를 덮어버리도록 하는 부작용을 초래할 뿐만 아니라, 피해자에게 성희롱을 당한 것 이상의 또 다른 정신적 고통을 줄 수 있다.

위 규정은 직장 내 성희롱 피해를 신속하고 적정하게 구제할 뿐만 아니라 직장 내 성희롱을 예방하기 위한 것으로, 피해자가 직장 내 성희롱에 대하여 문제를 제기할 때 2차적 피해를 염려하지 않고 사업주가 가해자를 징계하는 등 적절한 조치를 하리라고 신뢰하도록 하는 기능을 한다.

사업주가 피해근로자 등에게 해고나 그 밖의 불리한 조치를 한 경우에는 남녀고용평등법 제14조 제2항을 위반한 것으로서 민법 제750조의 불법행위가 성립한다. 그러나 사업주의 피해근로자 등에 대한 조치가 직장 내 성희롱 피해나 그와 관련된 문제 제기와 무관하다면 위 제14조 제2항을 위반한 것이 아니다. 또한 사업주의 조치가 직장 내 성희롱과 별도의 정당한 사유가 있는 경우에도 위 조항 위반으로 볼 수 없다.

사업주의 조치가 피해근로자 등에 대한 불리한 조치로서 위법한 것인지 여부는 불리한 조치가 직장 내 성희롱에 대한 문제 제기 등과 근접한 시기에 있었는지, 불리한 조치를 한 경위와 과정, 불리한 조치를 하면서 사업주가 내세운 사유가 피해근로자 등의 문제 제기 이전부터 존재하였던 것인지, 피해근로자 등의 행위로 인한 타인의 권리나 이익 침해 정도와 불리한 조치로 피해근로자 등이 입은 불이익 정도, 불리한 조치가 종전 관행이나 동종 사안과 비교하여 이례적이거나 차별적인 취급인지 여부, 불리한 조치에 대하여 피해근로자 등이 구제신청 등을 한 경우에는 그 경과 등을 종합적으로 고려하여 판단해야 한다.

남녀고용평등법은 관련 분쟁의 해결에서 사업주가 증명책임을 부담한다는 규정을 두고 있는데(제30조), 이는 직장 내 성희롱에 관한 분쟁에도 적용된다. 따라서 직장 내 성희롱으로 인한 분쟁이 발생한 경우에 피해근로자 등에 대한 불리한 조치가 성희롱과 관련성이 없거나 정당한 사유가 있다는 점에 대하여 사업주가 증명을 하여야 한다.

3. 원고에 대한 2013. 9. 4.자 견책처분이 남녀고용평등법상 불리한 조치에 해당하는지 여부(원고의 상고이유 제1점)

가. 원심은, 피고 ○○○본부 의 본부장 소외 4가 2013. 9. 4. 원고에게 징계의 일종인 견책처분(이하 '이 사건 견책처분'이라 한다)을 한 것이 남녀고용평등법 제14조 제2항 의 불리한 조치에 해당하지 않는다고 판단하였다.

그 이유로 이 사건 견책처분이 이 사건 직장 내 성희롱에 대한 원고의 문제 제기와 관련된 것이 아니고, "원고가 소외 5 로부터 진술서를 받는 과정에서 소외 5 에게 '호적에 빨간 줄 긋기 싫으면 지금 당장 와. 다른 사람들에게 허위 소문을 퍼뜨리고 다니면서 원고의 명예를 훼손한 것이 맞다면 고소하겠다'고 말한 행위"(이하 '이 사건 행위'라 한다)가 실질적 이유라는 점을 들었다.

나. 그러나 원심판결 이유와 적법하게 채택된 증거에 비추어 살펴보면, 이 사건 견책처분은 직장 내 성희롱과 관련성이 있다고 볼 수 있고, 성희롱 피해나 그와 관련된 문제 제기와 무관하거나 정당한 사유에 근거한 것이라고 보기 어렵다. 그 이유는 다음과 같다.

(1) 원고는 2013. 6. 11. 성희롱 가해자인 소외 2 와 그 사용자인 피고를 상대로 이 사건 소를 제기한 다음, 이 사건 직장 내 성희롱에 관하여 회사

내에 퍼져 있는 소문에 관한 증거를 확보하는 과
정에서 소외 5 에게 이 사건 행위를 하였다.

(2) 소외 5 는 스스로 위 진술서를 작성하여 원고
에게 건네주었고 그 내용에 별다른 이의가 없었
다.

(3) 경기지방노동위원회는 2013. 12. 4. 이 사건
견책처분에 대한 원고의 구제신청을 받아들였다.
중앙노동위원회는 피고의 재심신청을 기각하였다.
그 이유로 '이 사건 견책처분의 사유로 삼은 행위
가 형사소추의 원인이 되는 불법행위에 해당하지
않고, 사회통념에 비추어 징계의 필요성이 있는
행위로 볼 수도 없으므로, 피고가 이 사건 견책처
분을 한 것은 정당하지 않다.'는 점을 들었다. 피
고도 위 재심판정을 수용하고 2014. 3. 27. 원고
에게 이 사건 견책처분을 취소하고 인사기록 등에
서 처분 내역도 모두 말소할 것이라고 밝혔다.

(4) 피고가 이 사건 견책처분과 비슷한 징계사유를 들어 유사한 징계처분을 한 사례를 찾을 수 없다. 오히려 유독 원고에 대해서만 엄격하고 까다로운 기준을 적용하여 이 사건 견책처분을 한 것으로 보인다.

(5) 피고는 이 사건 견책처분과 그 공고 후인 2013. 10. 17. 기존에 수행하던 전문업무에서 원고를 배제하고 공통업무만 수행하는 비전문업무를 맡도록 업무배치 통보를 하였고, 2013. 12. 11. 절도 방조 등의 혐의를 내세워 원고에게 직무정지와 대기발령을 하고 원고를 고소하였다가, 위 재심판정 후에 위 대기발령 등을 종료하고 원고에게 원직복귀명령을 하였다.

다. 그런데도 원심은 이 사건 견책처분이 남녀고용평등법 제14조 제2항 의 불리한 조치에 해당하지 않는다고 판단하였다. 이러한 원심의 판단에는 위 조항에 관한 법리를 오해하여 판결에 영향을 미친 잘못이 있다. 이 점을 지적하는 원고의 상고이유 주장이 옳다.

4. 원고에 대한 2013. 12. 11.자 직무정지와 대기발령이 남녀고용평등법상 불리한 조치에 해당하는지 여부(원고의 상고이유 제2점)

가. 원심은, 피고 연구소 인사팀장인 소외 6 이 2013. 12. 11. 원고에 대하여 직무정지와 대기발령(이하 통틀어 '이 사건 대기발령 등'이라 한다)을 하고, 그 무렵 원고를 절도 방조 혐의로 고소한 것이 남녀고용평등법 제14조 제2항 의 불리한 조치에 해당하지 않는다고 판단하였다. " 소외 1 이 2013. 12. 6. 피고의 △△디자인아시아센터 사무실에서 불법적으로 피고의 문서를 반출한 행위에 원고가 가담한 혐의(이하 '이 사건 쟁점 혐의'라 한다)가 형사소추의 원인이 되는 행위 등 징계사유에 해당된다고 평가될 가능성이 있다."는 점 등을 이유로 들었다.

나. 대기발령을 포함한 인사명령은 원칙적으로 인사권자의 고유권한으로서 업무상 필요한 범위에서 상당한 재량이 인정된다(대법원 2002. 12. 26. 선고 2000두8011 판결 등 참조). 그러나 원심판결 이유와 적법하게 채택된 증거에 따라 알 수 있는 다음과 같은 사실 등에 비추어 보면, 이 사건 쟁점 혐의는 그 근거가 없어 피고가 원고에게 한 이 사건 대기발령 등이 정당한 인사재량권의 범위 내에서 이루어진 것으로 볼 수 없고, 남녀고용평등법 제14조 제2항 의 불리한 조치에 해당한다고 볼 여지가 있다.

(1) 경기지방노동위원회는 2013. 12. 4. 피고의 소외 1 에 대한 2013. 7. 19.자 정직처분에 관한 구제신청을 받아들였는데, 피고는 2013. 12. 6. 퇴근시간 20분 전쯤 소외 1 에게 ' 소외 1 이 구제신청절차에서 자료를 제출한 행위가 징계사유에 해당할 여지가 있다.'는 이유로 직무정지와 대기

발령을 통보하였다. 소외 1 은 같은 날 퇴근하면
서 급하게 위 구제신청 관련 서류들을 챙겨 나왔
고, 원고는 소외 1 과 동행하였다.

피고 인사팀 직원들이 퇴근하는 소외 1 과 원고에
게 보안점검을 실시하자, 원고와 소외 1 의 신고
로 경찰관이 출동하였다. 경찰관이 입회한 가운데
소외 1 의 서류임이 명백한 서류는 소외 1 이, 피
고의 서류로 서로 인정한 55매의 서류(이하 '이
사건 서류'라 한다)는 인사팀 소외 6 팀장이 가져
갔다. 이 사건 서류는 소외 1 은 물론 피고에게도
별다른 경제적 가치나 기밀로서의 가치가 없다.

(2) 피고는 이 사건 서류를 돌려받은 후인 2013.
12. 11. 소외 1 과 원고를 이 사건 서류에 대한
절도와 절도 방조 혐의로 고소하였다. 소외 1 은
2014. 6. 30. 검사로부터 이 사건 서류 반출행위
가 절도죄에 해당하지만 외부 유출의 목적이 없고
서류가 반환되었다는 이유로 '기소유예' 처분을

받았다. 그러나 헌법재판소는 2015. 2. 26. 2014 헌마574호 헌법소원 사건에서 피고가 소외 1 에게 보복성 징계절차를 개시하자 자신의 구제신청 관련 서류 등을 급하게 챙겨 나오다가 이 사건 서류도 가지고 나오게 된 것으로 보이고, 소외 1 에게 절도의 고의나 불법영득의 의사가 있다고 보기 어렵다고 하여 검사의 기소유예 처분을 취소하였다.

그리고 원고는 소외 1 의 피고 서류 반출행위를 알고 있었다고 보기 어렵다는 이유로 절도 방조에 대하여 '혐의 없음' 처분을 받았다.

(3) 피고가 이 사건 쟁점 혐의를 이유로 원고에게 이 사건 대기발령 등을 할 수밖에 없었다면, 피고가 자신이 보관하던 소외 1 과 원고의 위 퇴근 무렵 관련 CCTV 영상 파일(이하 '이 사건 영상파일'이라 한다)을 증거자료로 적극 제출했을 것이다. 그런데 피고는 이 사건 영상파일의 제출을 거

부하였고, 원고가 이 사건 제1심법원에 이 사건 영상파일 검증물의 제출명령을 신청하여 그 신청이 받아들여졌다.

(4) 중앙노동위원회가 2014. 3. 17. 이 사건 견책처분 관련 피고의 재심신청을 기각하자, 피고는 2014. 3. 27. 원고의 절도 방조 혐의에 관한 고소 사건이 종결되기 전인데도, 위 재심신청 기각결정을 존중하여 이 사건 견책처분을 취소하였다. 또한 피고는, 성희롱 피해근로자 등의 보호와 권리구제가 필요하다는 점 등을 스스로 밝히면서, 원고에 대한 이 사건 대기발령 등의 종료와 원직복귀를 명하였다.

(5) 종전에도 이 사건 쟁점 혐의와 같은 정도의 사안에서 그러한 의심이 있다는 사정만으로 피고가 근로자에게 직무정지와 대기발령을 한 사례를 찾을 수 없다.

다. 위와 같이 이 사건 쟁점 혐의는 그 근거가 매

우 희박하고, 당시의 상황에서 원고의 근로 제공이 매우 부적당했다고 볼 만한 사정도 없으므로, 원고에 대한 이 사건 대기발령 등의 필요성을 인정하기 어렵다.

그런데도 원심은 피고의 원고에 대한 이 사건 대기발령 등이 남녀고용평등법 제14조 제2항 의 불리한 조치에 해당하지 않는다고 판단하였다. 이러한 원심판단에는 위 조항에 관한 법리를 오해하여 판결에 영향을 미친 잘못이 있다. 이 점을 지적하는 원고의 상고이유 주장 역시 옳다.

5. 성희롱 피해근로자 등을 도와준 제3자에 대한 불리한 조치로 인한 불법행위책임(원고의 상고이유 제3점)

가. 남녀고용평등법 제14조 제2항은 사업주가 '피해근로자 등'에게 해고나 그 밖의 불리한 조치를 하여서는 안 된다고 규정하고 있을 뿐이다. 따라

서 사업주가 피해근로자 등이 아니라 그에게 도움을 준 동료 근로자에게 불리한 조치를 한 경우에 남녀고용평등법 제14조 제2항을 직접 위반하였다고 보기는 어렵다.

그러나 사업주가 피해근로자 등을 가까이에서 도와준 동료 근로자에게 불리한 조치를 한 경우에 그 조치의 내용이 부당하고 그로 말미암아 피해근로자 등에게 정신적 고통을 입혔다면, 피해근로자 등은 불리한 조치의 직접 상대방이 아니더라도 사업주에게 민법 제750조에 따라 불법행위책임을 물을 수 있다. 그 구체적인 이유는 다음과 같다.

(1) 민법 제750조 는 "고의 또는 과실로 인한 위법행위로 타인에게 손해를 가한 자는 그 손해를 배상할 책임이 있다."라고 정함으로써 불법행위에 관한 일반조항주의를 채택하고 있다. 이 규정은 손해배상 청구권자를 가해행위의 직접 상대방으로 한정하고 있지 않다. 따라서 가해행위의 직접 상

대방이 아닌 제3자도 그 가해행위로 말미암아 자신의 법익이 침해되는 등의 손해를 입었다면 가해자를 상대로 불법행위를 이유로 손해배상을 청구할 수 있다고 보아야 한다.

민법 제752조 는 생명침해의 경우 위자료 청구권자를 정하고 있는데, 이는 예시적 열거 규정이다(대법원 1999. 4. 23. 선고 98다41377 판결 등 참조). 따라서 생명침해가 아닌 다른 유형의 위법행위에 대해서도 그 직접 상대방이 아닌 제3자가 위법행위로 생긴 자신의 법익 침해나 정신적 고통을 증명하여 가해자를 상대로 손해배상을 청구할 수 있다고 보는 것이 민법 제750조 , 제752조 의 문언과 체계에 맞는다.

이때 제3자는 불법행위를 이유로 한 손해배상이 무한정 확대되지 않도록 일정한 범위로 제한되어야 한다. 이를 위하여 손해배상의 범위에 관하여 제한배상주의를 정한 민법 제763조 , 제393조 가

적용될 것이다. 일반적으로는 제3자가 가해행위의 직접 상대방과 밀접한 관계에 있어 가해자도 자신의 행위로 말미암아 그 제3자에게 손해가 발생하리라는 사정을 알았거나 알 수 있었을 것이라고 인정되는 경우에 배상책임이 있다고 보아야 한다(대법원 1996. 1. 26. 선고 94다5472 판결 , 대법원 2008. 9. 11. 선고 2007다78777 판결 등 참조).

구체적인 개별 사안에서 이러한 책임의 인정 여부를 판단할 때 가해행위의 직접 상대방과 제3자 사이의 사회적 또는 법률적 관계의 내용과 친밀성, 가해행위가 이루어지게 된 경위와 모습, 가해행위로 침해된 제3자의 법익의 내용과 그 침해의 정도, 가해행위와 제3자의 법익 침해 발생 사이의 시간적·장소적 근접성, 가해자의 고의나 해의 유무 등을 종합적으로 고려하여야 한다.

(2) 피해근로자 등이 구제절차나 권리행사와 관련

하여 동료 근로자의 조언 등 도움을 받는 경우에 사업주가 도움을 주는 근로자에게 적극적으로 차별적인 대우를 하거나 부당한 징계처분 등을 한다면, 피해근로자 등도 인격적 이익을 침해받거나 정신적 고통을 받았을 가능성이 크다.

우리 사회에서 직장 내 성희롱의 특수성에 비추어 피해근로자 등과 그에게 도움을 준 동료 근로자는 깊은 정서적 유대감을 갖는 밀접한 관계에 있을 수 있다. 피해근로자 등은 동료 근로자가 자기 때문에 불리한 조치를 당하였다고 생각할 수 있고, 그 밖의 다른 근로자들도 그와 비슷한 생각을 하게 되어 피해근로자 등에게 도움을 주거나 그와 우호적인 관계를 맺는 것을 피할 수 있다.

이러한 상태가 심화되면 피해근로자 등은 직장 동료와의 관계가 단절되어 직장 내에서 사실상 고립되는 상황에 처할 수 있다. 피해근로자 등은 동료 근로자에 대한 사업주의 불리한 조치를 보고 구제절차 이용을 포기하거나 단념하라는 압박으로 느껴 성희롱 피해에 대해 이의하거나 구제절차를 밟는 것을 주저할 수 있다. 사업주가 동료 근로자에 대한 불리한 조치를 함으로써 피해근로자 등에게 손해배상책임을 지는지를 판단할 때에는 이러한 사정도 아울러 고려하여야 한다.

이와 같이 피해근로자 등을 도와준 동료 근로자에 대한 부당한 징계처분이나 불이익 조치가 사업주가 피해근로자 등에 대한 보호의무를 위반한 것인지 문제 될 수 있다. 사업주는 직장 내 성희롱 발생 시 남녀고용평등법령에 따라 신속하고 적절한 근로환경 개선책을 실시하고, 피해근로자 등이 후속 피해를 입지 않도록 적정한 근로여건을 조성하여 근로자의 인격을 존중하고 보호할 의무가 있다.

그런데도 사업주가 피해근로자 등을 도와준 동료 근로자에게 부당한 징계처분 등을 하였다면, 특별한 사정이 없는 한 사업주가 피해근로자 등에 대한 보호의무를 위반한 것으로 볼 수 있다.

(3) 한편 피해근로자 등을 도와준 동료 근로자에 대한 징계처분 등으로 말미암아 피해근로자 등에게 손해가 발생한 경우 이러한 손해는 특별한 사정으로 인한 손해에 해당한다. 따라서 사업주는 민법 제763조, 제393조에 따라 이러한 손해를 알았거나 알 수 있었을 경우에 한하여 손해배상책임이 있다고 보아야 한다.

이때 예견가능성이 있는지 여부는 사업주가 도움을 준 동료 근로자에 대한 징계처분 등을 한 경위와 동기, 피해근로자 등이 성희롱 피해에 대한 이의제기나 권리를 구제받기 위한 행위를 한 시점과 사업주가 징계처분 등을 한 시점 사이의 근접성, 사업주의 행위로 피해근로자 등에게 발생할 것으로 예견되는 불이익 등 여러 사정을 고려하여 판단하여야 한다. 특히 사업주가 피해근로자 등의 권리 행사에 도움을 준 근로자가 누구인지 알게 된 직후 도움을 준 근로자에게 정당한 사유 없이 차별적으로 부당한 징계처분 등을 하는 경우에는, 그로 말미암아 피해근로자 등에게도 정신적 고통이 발생하리라는 사정을 예견할 수 있다고 볼 여지가 크다.

나. 원심은 피해근로자 등 본인이 아닌 제3자가 피해근로자 등 본인에게 도움을 준 사람이라 할지라도 남녀고용평등법 제14조 제2항 이 정한 불리한 조치의 대상이 될 수 없다고 판단하였다. 그리고 피고의 △△디자인아시아센터장인 소외 7 이 2013. 7. 19. 소외 1 에 대하여 한 정직 1주일의 징계처분(이하 ' 소외 1 에 대한 정직처분'이라 한다)이 남녀고용평등법 제14조 제2항 의 불리한 조치에 해당한다는 원고의 주장은 원심의 위와 같은 판단과 다른 전제에 서 있는 주장이라는 이유로 이 부분 원고의 청구를 기각하였다.

다. 피해근로자 등이 아닌 소외 1 이 남녀고용평등법 제14조 제2항 의 불리한 조치의 상대방이 될 수는 없다는 원심의 판단은 위에서 본 법리에 따른 것으로서 수긍할 수 있다. 그러나 원심이 소외 1 에 대한 정직처분을 이유로 한 원고의 손해배상청구를 부정한 조치는 그대로 받아들이기 어렵다.

(1) 기록에 따르면, 원고는 2015. 7. 8. 원심법원에 제출한 준비서면에서 다음과 같이 주장하고 변론기일에 위 준비서면을 진술한 사실을 알 수 있다.

"피고가 소외 1 에게 한 일련의 불리한 조치는 전체적으로 다른 근로자들에게 '원고를 도와 준 사람은 이렇게 된다'는 것을 본보기식으로 보여줌으로써 원고를 회사 내에서 고립시킬 뿐만 아니라, 원고가 자신의 직장 내 성희롱 피해 구제과정에서 필요하고도 적절한 조력을 전혀 받지 못하게 하고, 그로써 원고 스스로 정당한 권리행사를 단념하게 만드는 행위로서, 결국 원고에 대한 불리한 조치로 평가할 수 있다. 이는 남녀고용평등법 제14조 제2항 이 금지한 '불리한 조치'의 악의적인 형태일 뿐만 아니라 사용자인 피고가 근로자인 원고에 대하여 행하여야 할 보호의무를 위반한 위법행위라고 할 수 있다."

이러한 주장은 피고가 소외 1 에 대한 정직처분을 한 것이 위법한 행위로서 원고에 대한 불법행위책임을 진다는 것으로 이해할 수 있는데도 원심은 이에 관한 판단을 하지 않았다.

(2) 원심판결 이유와 적법하게 채택된 증거에 비추어 살펴보면, 피고는 이 사건 소장을 송달받고 원고의 동료 근로자인 소외 1 이 그 증거 제출 등과 관련하여 원고에게 도움을 주었다는 사실을 알게 된 직후 곧바로 소외 1 에 대해서만 차별적이고 부당한 징계처분을 하였음을 알 수 있다. 나

아가 이러한 조치는 원고의 인격적 이익을 침해하거나 원고에 대한 보호의무를 위반한 것으로서 원고에 대한 불법행위가 성립하고 피고로서는 원고가 입은 손해를 알았거나 알 수 있었다고 볼 여지가 있다. 그 이유는 다음과 같다.

(가) 원고는 2013. 6. 11. 이 사건 소 제기 당시 갑 제5호증[메신저 캡쳐 화면(사내에 퍼진 소문에 대한 제보)]을 소장에 첨부하였다. 당시 원고는 "갑 제5호증은 사내에 유포된 허위 소문에 대한 동료 직원(갑)과 원고와의 메신저 대화 내용이나 피고 회사 재직 중인 '갑'의 보호를 위하여 부득이 '갑'의 이름만을 가려 익명 처리하였다."라고 밝히며, 대화 상대방 이름(소외 1) 부분은 지우고 '갑'으로 표시하였으나, 메신저 상단 화면에 "(소외 1의 영문이름 생략)" 부분은 삭제하지 않았다.

(나) 피고는 2013. 6. 17. 이 사건 소장과 함께

위 갑 제5호증을 송달받았다.

(다) 피고는 2013. 7. 3.경부터 유독 소외 1 만을 대상으로 장기간에 걸친 출입기록을 조사하고, 2013. 7. 10. 소외 1 에게 징계위원회에 출석할 것을 통보한 다음, 2013. 7. 12. 징계위원회를 개최하여 2013. 1. 14.부터 같은 해 6. 26.까지의 근무기간(근무일 총 105일) 중 8시간의 근무시간을 준수하지 않은 일수가 총 48일이라는 이유로 소외 1 에 대한 정직 1주일의 징계처분을 의결하고 2013. 7. 19. 소외 1 에게 통보하였다.

(라) 경기지방노동위원회는 2013. 12. 4. 소외 1 에 대한 정직처분이 부당한 징계처분이라고 인정하였다. 중앙노동위원회는 2014. 3. 7. 피고의 재심신청을 기각하였다. 대전지방법원은 2014구합101254 사건에서 2015. 2. 11. 소외 1 에 대한 정직처분이 사회통념상 현저하게 타당성을 잃어 징계재량권의 범위를 일탈·남용한 것으로 위법하

다고 보아 피고의 재심판정 취소청구를 기각하였다. 피고는 위 판결에 대하여 항소하였다가 2015. 8. 17. 위 사건의 소를 취하하였다.

(마) 재심판정 취소사건에서 소외 1 에 대한 정직 처분이 위법하다고 본 근거는 다음과 같다.

① 피고는 사전에 근태관리시스템을 따로 운영하거나, 보안카드 리더기 등을 이용하여 출입기록과 근태상황이 확인될 수 있다는 점을 소외 1 을 비롯한 근로자들에게 고지한 적이 없다. ② 보안카드 리더기로는 자신의 출입시각을 확인할 수 없어 근로자가 자신의 출퇴근 시간을 즉시 정확하게 알기는 어렵고, 이에 따라 근로시간에 대한 경각심을 가지기도 어려웠을 것이다.

③ 보안카드 리더기가 설치된 사무실은 △△디자인아시아센터 사무실이 유일하므로 모든 근로자에게 같은 수준의 출퇴근 관리가 이루어지고 있다고

보기도 어렵다. ④ 피고 회사는 '유연근무시간 (Flexible Working Time) 제도'를 운영하여 근로자들이 출·퇴근시간을 비교적 유동적으로 설정할 수 있도록 관리하였다.

⑤ 피고는 근태관리의 책임을 1차적으로 부서장에게 부여하고 있는데, 소외 1 의 소속 부서장은 소외 1 의 근무시간에 대해 특별히 문제 삼지 않았다. ⑥ 피고가 소외 1 에 대한 정직처분 이전에 소외 1 에게 근로시간 미준수에 관하여 경고나 주의를 준 적이 없다.

⑦ 소외 1 의 근무시간 미준수로 인하여 피고의 업무에 지장을 주거나 손해를 끼쳤다는 점에 관한 증명이 부족하다. ⑧ 소외 1 이 피고 회사에서 장기간 근무하면서 징계를 받은 전력이 없고 우수한 수준의 업무 평가를 받았다.

⑨ 피고가 중앙연구소의 1,000명이 넘는 근로자

중 다른 근로자의 출입기록은 조사하지 않으면서 유독 소외 1 만을 대상으로 장기간에 걸친 출입기록을 조사하고 이를 토대로 징계한 것은 형평의 원칙에 어긋난다고 볼 여지가 있다. ⑩ 소외 1 에 대한 정직처분은 그 기간은 비록 1주일에 그치지만, 견책, 감급, 감봉 등의 징계에 비하여 중징계이고 그로 말미암아 소외 1 이 장차 인사나 처우에서 불이익을 받을 우려가 있다. 실제 소외 1 은 정직처분 이후 직무정지와 대기발령 상태에 있다가 기존에 있던 사무실이 아닌 구매본부로 발령을 받는 등 적지 않은 불이익을 받았다.

라. 원심으로서는 피고가 이 사건 소장을 송달받은 직후 이 사건 소 제기와 관련하여 원고에게 도움을 준 소외 1 에 대해서만 차별적으로 정직처분을 한 경위와 그 후의 경과, 피고의 고의나 의도, 피고의 위와 같은 조치로 원고가 입은 불이익과 이에 대한 피고의 예견가능성 등을 구체적으로 심리하고, 소외 1 에 대한 정직처분이 원고에 대해

서도 불법행위를 구성하는지와 원고에게 배상해야 할 손해가 발생했는지를 따져 원고의 이 부분 청구의 당부를 가렸어야 할 것이다.

그런데도 원심은 이러한 사정에 관한 심리를 하지 않은 채 단지 소외 1 이 남녀고용평등법 제14조 제2항 의 불리한 조치의 대상이 될 수 없다는 이유만으로 이 부분에 관한 원고의 청구를 받아들이지 않았다. 이러한 원심의 조치에는 사용자의 피해근로자 등에 대한 보호의무와 민법 제750조 의 불법행위에 관한 법리를 오해하여 필요한 심리를 다하지 않고 판단을 누락하여 판결에 영향을 미친 잘못이 있다. 이 점을 지적하는 원고의 상고이유 주장이 옳다.

6. 피고의 상고이유

가. 소외 2 의 직장 내 성희롱 관련 사용자책임의 성립 여부(피고의 상고이유 제1점)

원심에서, 원고는 원고의 상급자인 소외 2 (제1심 공동피고)가 2012. 4.경부터 2013. 3. 초순까지 원고에게 직장 내 성희롱을 하는 위법행위를 저질렀고 이로 말미암아 정신적 손해를 입혔으며, 피고는 소외 2 의 불법행위에 대하여 사용자로서 손해배상책임을 부담한다고 주장하였다. 이에 대하여 원심은 피고의 사용자책임을 인정하되, 피고가 사용자책임에 따라 원고에게 배상하여야 할 위자료 700만 원과 그 지연손해금 채무 전부가 부진정연대관계에 있는 소외 2 의 변제로 소멸하였다는 피고의 예비적 항변을 받아들여 이 부분 원고의 청구를 기각하였다. 원고·피고는 원심판결 중 이 부분에 대해서는 상고하지 않았고, 피고는 원심판결 중 피고 패소 부분에 대해서만 상고하였다.

이 부분 피고의 상고이유 주장은, 소외 2 의 원고에 대한 성희롱 행위가 사무집행 관련성이 없고,

피고에게는 민법 제756조 제1항 단서의 면책사유가 있다는 것이다. 그러나 원고의 이 사건 청구 중 소외 2 의 위법행위에 대한 피고의 사용자책임을 묻는 부분은 원고·피고 모두 상고하지 않은 부분으로 상고심의 심판대상이 아니다. 따라서 피고의 위 주장은 적법한 상고이유가 아니다.

나. 원고에 대한 2013. 10. 17. 업무배치통보가 남녀고용평등법상 불리한 조치에 해당하는지 여부 등(피고의 상고이유 제2, 3점)

(1) 원심은, 피고 연구소의 시스템 엔지니어링 오퍼레이션의 부서장 이사 소외 8 이 2013. 10. 17. 원고에게 업무분장통보(이하 '이 사건 업무배치'라 한다)를 하였는데, 이는 이 사건 직장 내 성희롱에 대한 원고의 문제 제기 등과 관련된 것으로 남녀고용평등법 제14조 제2항 의 불리한 조치에 해당한다고 판단하였다.

위에서 본 남녀고용평등법 제14조 제2항 의 법리와 기록에 비추어 살펴보면, 원심의 판단에 상고이유 주장과 같이 명확성의 원칙이나 남녀고용평등법 제14조 제2항 의 법리 등을 오해하여 판결에 영향을 미친 잘못이 없다.

(2) 나아가 원심은 원고의 이 부분 청구에는 소외 8 의 이 사건 업무배치와 관련하여 피고에게 민법 제756조 의 사용자책임을 묻는 것이 포함되어 있다고 보고 이를 전제로 피고의 사용자책임을 인정하였다.

기록에 비추어 살펴보면, 원심의 판단에 상고이유 주장과 같이 변론주의나 처분권주의를 위반하거나 석명권을 행사하지 않아 판결에 영향을 미친 잘못이 없다.

다. 직장 내 성희롱을 조사하는 직원의 의무 위반으로 인한 사용자책임의 성립 여부(피고의 상고이

유 제4점)

(1) 헌법은 모든 국민이 인간으로서의 존엄과 가치를 가지고(제10조) 사생활의 비밀과 자유를 침해받지 않는다(제17조)고 정하고 있다. 형법은 개인의 비밀과 평온을 보호하기 위하여 일정한 개인의 비밀을 침해하거나 누설하는 행위를 처벌하고 있다(제316조 , 제317조).

현행 남녀고용평등법에는 명문의 규정이 없지만, 개정 남녀고용평등법 제14조 제7항 본문은 직장 내 성희롱 발생 사실을 조사한 사람, 조사 내용을 보고 받은 사람 또는 그 밖에 조사 과정에 참여한 사람(이하 '조사참여자'라 한다)은 해당 조사 과정에서 알게 된 비밀을 피해근로자 등의 의사에 반하여 다른 사람에게 누설해서는 안 된다고 정하여 조사참여자의 비밀누설 금지의무를 명시하고 있다.

위 개정 법률이 시행되기 전에도 개인의 인격권, 사생활의 비밀과 자유를 보장하는 위 헌법 규정, 직장 내 성희롱의 예방과 피해근로자 등을 보호하고자 하는 남녀고용평등법의 입법 취지와 직장 내 성희롱의 특성 등에 비추어, 직장 내 성희롱 사건에 대한 조사가 진행되는 경우 조사참여자는 특별한 사정이 없는 한 비밀을 엄격하게 지키고 공정성을 잃지 않아야 한다. 조사참여자가 직장 내 성희롱 사건을 조사하면서 알게 된 비밀을 누설하거나 가해자와 피해자의 사회적 가치나 평가를 침해할 수 있는 언동을 공공연하게 하는 것은 위법하다고 보아야 한다. 위와 같은 언동으로 말미암아 피해근로자 등에게 추가적인 2차 피해가 발생할 수 있고, 이는 결국 피해근로자 등으로 하여금 직장 내 성희롱을 신고하는 것조차 단념하도록 할 수 있기 때문에, 사용자는 조사참여자에게 위와 같은 의무를 준수하도록 하여야 한다.

한편 민법 제756조에 규정된 사용자책임의 요건

인 '사무집행에 관하여'라 함은 피용자의 불법행위가 외형상 객관적으로 사용자의 사업활동, 사무집행행위 또는 그와 관련된 것이라고 보일 때에는 행위자의 주관적 사정을 고려하지 않고 사무집행에 관하여 한 행위로 본다는 것이다. 피용자가 고의로 다른 사람에게 성희롱 등 가해행위를 한 경우 그 행위가 피용자의 사무집행 그 자체는 아니더라도 사용자의 사업과 시간적·장소적으로 근접하고 피용자의 사무의 전부 또는 일부를 수행하는 과정에서 이루어지거나 가해행위의 동기가 업무처리와 관련된 것이라면 외형적·객관적으로 사용자의 사무집행행위와 관련된 것이라고 보아 사용자 책임이 성립한다. 이때 사용자가 위험발생을 방지하기 위한 조치를 취하였는지 여부도 손해의 공평한 부담을 위하여 부가적으로 고려할 수 있다 (대법원 2009. 10. 15. 선고 2009다44457, 44464 판결 등 참조).

(2) 원심은 다음과 같은 이유로 이 사건 직장 내

성희롱에 관한 조사업무를 수행하던 소외 3 의 발언에 대해 피고의 사용자책임을 인정하였다.

소외 3 은 이 사건을 조사하던 초기에 피해자인 원고의 사회적 가치나 평가를 침해할 수 있는 내용의 발언을 하였다. 이는 그 발언 내용이 단순한 의견 표명인지 간접적이고도 우회적인 방법에 의한 사실의 적시인지 여부와 상관없이 직장 내 성희롱 사건의 조사수행자가 지켜야 하는 의무를 저버린 위법한 행위이다. 따라서 피고는 민법 제756조 에 따라 소외 3 의 사용자로서 소외 3 의 위 사무집행에 관한 불법행위로 인하여 원고가 입은 정신적 손해를 배상할 책임이 있다.

(3) 원심판결 이유에 나타난 소외 3 의 발언 내용과 그 경과 등에 비추어 살펴보면, 소외 3 의 위법행위와 사무집행 관련성을 인정한 원심의 판단은 정당하다. 원심의 판단에 상고이유 주장과 같이 불법행위책임이나 사용자책임에 관한 법리 등

을 오해하여 판결에 영향을 미친 잘못이 없다.

7. 결론

원심판결의 원고 패소 부분 중 원고에 대한 2013. 9. 4.자 견책처분, 2013. 12. 11.자 직무정지와 대기발령, 소외 1 에 대한 2013. 7. 19.자 정직처분에 관한 손해배상청구 부분을 파기하고, 이 부분 사건을 다시 심리·판단하도록 원심법원에 환송한다. 피고의 상고는 기각하기로 한다. 이에 대법관의 일치된 의견으로 주문과 같이 판결한다.

대법관 김창석(재판장) 박보영 이기택 김재형(주심)

제 **7** 장

차별행위와 성희롱

【판시사항】

[1] 국가인권위원회 산하 차별시정위원회가 심의
의결을 거쳐 행한 결정이 행정소송의 대상이 되는
행정처분에 해당하는지 여부(소극)

[2] 국가인권위원회의 피진정인에 대한 인권교육
수강권고가 행정소송의 대상이 되는 행정처분에
해당하는지 여부(소극)

[3] 국가인권위원회의 회사 대표이사에 대한 인사조치권고에 대하여 당해 근로자가 취소소송을 제기할 원고적격을 가지는지 여부(적극)

[4] 국가인권위원회가 회사 대표이사에 대하여 한 시정조치권고가 행정소송의 대상이 되는 행정처분에 해당하는지 여부(적극)

[5] 모든 성희롱행위가 곧바로 남녀차별행위로서 평등권침해의 차별행위가 되는지 여부 및 합리적인 이유 없는 성별에 의한 차별행위라는 사실에 대한 증명책임의 소재(=국가인권위원회)

【판결요지】

[1] 국가인권위원회법 제44조 제1항 은 시정조치의 권고에 관하여만 규정하고 국가인권위원회의 권고조치를 위한 결정에 관하여는 별도의 근거 규정을 두고 있지 않은바, 그렇다면 국가인권위원회 산하 차별시정위원회가 심의의결을 거쳐 행한 결정은 합의제 행정기관인 국가인권위원회가 그 의사를 내부적으로 형성하고, 그 결과에 따라 피진

정인 및 회사 대표이사에게 권고처분을 하기 위한 중간단계의 과정에 불과하고, 결정 자체로서 국민의 권리의무에 어떠한 변동도 가져오는 것이 아니므로 행정처분이 아니어서 항고소송의 대상이 될 수 없다.

[2] 국가인권위원회법에 의하면, 국가인권위원회가 진정을 조사한 결과 인권침해나 차별행위가 일어났다고 판단하는 때에는 피진정인에게 제42조 제4항 각 호 에 정한 구제조치의 이행, 법령·제도·정책·관행의 시정 또는 개선을 권고할 수 있을 뿐(제44조 제1항), 피진정인이 위와 같은 권고를 이행하지 아니하였을 때 어떠한 불이익한 제재를 가할 수도 없고, 위와 같은 권고가 피진정인의 권리를 제약하거나 의무를 부과하는 것이 아니며, 피진정인의 법률상 이익을 개별적·구체적으로 규제하는 효과가 있는 것도 아니므로, 국가인권위원회가 피진정인에 대하여 한 인권교육수강권고는 행정소송의 대상이 되는 행정처분에 해당하지 아니한다.

[3] 국가인권위원회의 인사조치권고는 회사 대표

176

이사에게 일정한 법률상의 의무를 부담시키고, 그에 따라 회사의 대표이사가 근로자에게 전보조치를 한다면 근로자로서는 이에 따라야 할 근로계약상의 의무가 발생하여, 당해 근로자로서는 국가인권위원회의 대표이사에 대한 권고에 관하여 법률상 보호되는 직접적이고 구체적인 이익을 향유하므로, 인사조치권고처분의 취소소송을 제기할 원고적격이 있다.

[4] 국가인권위원회법 제25조 제2항 , 제3항 , 제4항 에 의하면 국가인권위원회의 시정권고는 사용자에게 일정한 법률상의 의무를 부담시키므로, 국가인권위원회가 회사 대표이사에 대하여 한 시정조치권고는 행정소송의 대상이 되는 행정처분에 해당한다.

[5] "성희롱은 남녀차별로 본다"고 규정한 구 남녀차별금지 및 구제에 관한 법률 제7조 제4항 은 2005. 3. 24. 법률 제7422호로 폐지되었고, 위 폐지법률 부칙 제1항 은 제2조 제2호 내지 제4호 , 제7조 제2항 은 계속 효력을 가진다고 규정하면서도 제7조 제4항 에 대하여는 위와 같은 규정을

두지 아니 하였으므로, 2005. 3. 24. 이전에는 모든 성희롱행위는 곧바로 남녀차별행위로 간주되었으나, 2005. 3. 25.부터는 모든 성희롱행위가 곧바로 남녀차별행위로서 평등권침해의 차별행위가 되는 것이 아니고, 합리적인 이유 없는 성별에 의한 차별행위에 해당하는 경우에만 평등권침해의 차별행위가 되어 국가인권위원회법에 의한 권고를 할 수 있고, 그 점에 대한 증명책임은 국가인권위원회가 부담한다.

【참조조문】

[1] 행정소송법 제2조 제1항 제1호 , 제19조 , 국가인권위원회법 제44조 제1항 / [2] 행정소송법 제2조 제1항 제1호 , 제19조 , 국가인권위원회법 제44조 제1항 / [3] 행정소송법 제12조 / [4] 국가인권위원회법 제25조 제2항 , 제3항 , 제4항 / [5] 구 남녀차별금지 및 구제에 관한 법률(2005. 3. 24. 법률 제7422호로 폐지되기 전의 것) 제7조 제4항 , 국가인권위원회법 제2조 제4호 (라)목 , 행정소송법 제26조 [증명책임]

【전문】
【원　　고】 원고
(소송대리인 변호사 김호윤)
【피　　고】 국가인권위원회 (소송대리인 법무법인 자하연 담당변호사 이유정)
【주문】
1. 이 사건 소 중, 주위적 청구에 관한 부분 및 예비적 청구에서 피고가 원고에 대하여 한 인권교육수강권고처분취소를 구하는 부분을 각 각하한다.

2. 피고가 2006. 9. 14. 원고와 소외 1 사이의 06진차266 성희롱 사건에 관하여 현대자동차 주식회사 대표이사에 대하여 한 인사조치권고처분을 취소한다.

3. 소송비용은 이를 4분하여 그 3은 원고가, 나머지는 피고가 각 부담한다.

【취지】

1. 주위적 청구취지 : 피고가 2006. 8. 29. 원고와 소외 1 사이의 06진차266 성희롱 사건에 관하여 원고에 대하여 한 인권교육수강 및 현대자동차 주식회사 대표이사에 대하여 한 인사조치 권고결정을 취소한다.

2. 예비적 청구취지 : 주문 제2항 및 피고가 2006. 9. 14. 원고와 소외 1 사이의 06진차266 성희롱 사건에 관하여 원고에 대하여 한 인권교육수강권고처분을 취소한다.

【변론종결】
2007. 7. 5.

【이유】

1. 기초 사실

가. 원고와 소외 1 은 현대자동차 주식회사(이하 '이 사건 회사'라고 한다) (이름 생략)지점 영업사원이고, 모두 현대자동차 노동조합(이하 '이 사건 노조'라고 한다)의 조합원이다.

나. 소외 1 은 2004. 7. 7. (이름 생략)지점 직원 소외 2 , 3 , 4 3명을 성희롱가해자라고 주장하면서 남녀차별개선위원회에 04성희롱62, 63, 64호로 시정신청을 하였다. 위 위원회는 2004. 11. 8. 소외 4 가 2004. 6. 17. 회식자리에서 소외 1 에게 한 언동과 소외 3 이 2004. 6. 21. 소외 1 의 핸드폰으로 문자메시지를 보낸 언동을 성희롱으로 결정하면서 이 사건 회사에게 성희롱예방교육 및 재발방지대책을 수립할 것을 권고하였으나, 소외 2 가 "직원들이 사귄다"는 취지의 말을 한 것에 대하여는 그것만으로는 성희롱이라고 보기 어렵다는 이유로 소외 1 의 신청을 기각하였다. 위 결정에 따라 이 사건 회사는 소외 2 , 3 , 4 를 다른 지점으로 전보조치하였다.

다. 소외 2 는 2006. 1. 26. 소외 1 과 소외 5 가 (소재지 및 이름 생략)호텔 에 들어가는 것을 보고 소외 6 과 원고에게 전화를 걸어 위 호텔 앞으로 오라고 한 후 다른 곳으로 떠났다고 주장하고, 소외 6 은 나중에 도착하여 소외 1 과 소외 5 가 위 호텔에서 나오는 것을 보았다고 주장하고 있으나, 원고는 그 후에 위 호텔 앞에 도착하였기 때문에 위와 같은 장면을 보지는 못하였다.

라. 원고는 이 사건 회사 (이름 생략)지점 직원들에게 " 소외 1 과 소외 5 가 모텔에 들어간 것을 본 사람이 있고, 그 장면을 찍은 사진도 있다"는 취지의 말을 하였다. 이를 들은 (이름 생략)지점 직원 15명(원고는 이에 포함되지 아니한다)은 2006. 2. 2. 소외 1 과 소외 5 가 (이름 생략)지점 의 명예를 훼손하고 직원들을 농락하였기 때문에 두 사람과 같이 근무할 수 없다는 취지의 탄원서를 작성하여 이 사건 회사에 제출하였다. 소외 1 은 2006. 2. 28. 이 사건 회사의 요구로 소외 5 와 모텔에 간 사실이 없다는 취지의 사실확인서를 작성하여 제출하였다.

마. 원고와 소외 1 은 2006. 1. 이 사건 노조 서울북부지부 여성대의원 선거에 출마하였고, 선거 결과 원고가 대의원에 선출되었다. 원고는 2006. 2. 17. 이 사건 노조 정기대의원대회와 2006. 3. 24. 이 사건 노조 여성위원회 월례회의에 참석하여 다른 대의원들에게 "2004년 성희롱 사건 가해

자들도 억울한 것이 많다. 소외 1 이 지점 내 유부남과 모텔에 들어가는 것을 본 사람이 있다."는 취지의 말을 하였다.

바. 소외 1 은 2006. 3. 9.부터 5. 4.까지 경희대학교 의과대학 부속병원에서 '직장내 심한 스트레스 이후 두통, 가슴 답답함, 집중력 저하, 불안, 수면장애, 경도 우울증, 자율신경계 흥분 신체증상' 등으로 통원치료를 받았다.

사. 소외 1 은 2006. 5. 23. 06진차266호로 피고에게 원고를 피진정인으로 하는 진정을 제기하였고, 피고 산하 차별시정위원회는 위 진정사건을 조사한 결과 2006. 8. 29. 원고의 성희롱적 언동으로 인하여 소외 1 에게 적대적이고 모욕적인 근무환경이 조성되었으므로, 원고에 대하여 인권교육수강 및 현대자동차 주식회사 대표이사에 대하여 인사조치 권고처분의 결정을 하였다(이하 '이 사건 결정'이라고 한다).

아. 피고는 2006. 9. 14. 원고에게 피고가 주최하는 인권교육수강을 권고하는 결정을, 현대자동차

마음의 상처 성희롱, 치유로서의 법학의 대흥

주식회사 대표이사에게 소외 1 이 원고와 같은 공간에서 근무하지 않도록 조치할 것을 권고하는 결정을 각 통지하였다(이하 '이 사건 처분'이라고 한다).

[인정 근거] 갑 1~16, 을 1~4(각 가지번호 포함)의 각 기재, 증인 소외 7 , 8 , 9 , 10 의 각 증언, 변론 전체의 취지

2. 주장 및 판단

가. 원고의 주장

원고의 행위는 객관적 사실만을 오로지 공적인 이익을 위하여 진술한 것일 뿐, 소외 1 로 하여금 성적 굴욕감을 유발한다거나 소외 1 에게 적대적이고 모욕적인 근무환경을 조성할 목적으로 행해진 것이 아님에도, 피고가 위와 같은 처분을 한 것은 사실관계를 오인하였거나 법리를 오해한 위법이 있다.

나. 관계 법령

■ 행정소송법

제2조 (정의)

① 이 법에서 사용하는 용어의 정의는 다음과 같다.

1. '처분 등'이라 함은 행정청이 행하는 구체적 사실에 관한 법집행으로서의 공권력의 행사 또는 그 거부와 그 밖에 이에 준하는 행정작용(이하 '처분'이라 한다) 및 행정심판에 대한 재결을 말한다.
제19조 (취소소송의 대상) 취소소송은 처분 등을 대상으로 한다. 다만, 재결취소소송의 경우에는 재결 자체에 고유한 위법이 있음을 이유로 하는 경우에 한한다.

■ 국가인권위원회법
제2조 (정의)
 이 법에서 사용하는 용어의 정의는 다음과 같다.

1. '인권'이라 함은 '헌법' 및 법률에서 보장하거나 대한민국이 가입·비준한 국제인권조약 및 국제관습법에서 인정하는 인간으로서의 존엄과 가치

및 자유와 권리를 말한다.

4. '평등권침해의 차별행위'라 함은 합리적인 이유 없이 성별, 종교, 장애, 나이, 사회적 신분, 출신 지역(출생지, 원적지, 본적지, 성년이 되기 전의 주된 거주지역 등을 말한다), 출신국가, 출신민족, 용모 등 신체조건, 기혼·미혼·별거·이혼·사별·재혼·사실혼 등 혼인 여부, 임신 또는 출산, 가족형태 또는 가족상황, 인종, 피부색, 사상 또는 정치적 의견, 형의 효력이 실효된 전과, 성적(性的) 지향, 학력, 병력(病歷) 등을 이유로 한 다음 각 목의 어느 하나에 해당하는 행위를 말한다. 다만, 현존하는 차별을 해소하기 위하여 특정한 사람(특정한 사람들의 집단을 포함한다. 이하 같다)을 잠정적으로 우대하는 행위와 이를 내용으로 하는 법령의 제·개정 및 정책의 수립·집행은 평등권침해의 차별행위(이하 '차별행위'라 한다)로 보지 아니한다.

가. 고용(모집, 채용, 교육, 배치, 승진, 임금 및 임금 외의 금품 지급, 자금의 융자, 정년, 퇴직, 해고 등을 포함한다)과 관련하여 특정한 사람을 우대·배제·구별하거나 불리하게 대우하는 행위

나. 재화·용역·교통수단·상업시설·토지·주거시설의 공급이나 이용과 관련하여 특정한 사람을 우대·배제·구별하거나 불리하게 대우하는 행위

다. 교육시설이나 직업훈련기관에서의 교육·훈련이나 그 이용과 관련하여 특정한 사람을 우대·배제·구별하거나 불리하게 대우하는 행위

라. 성희롱 행위
5. '성희롱'이라 함은 업무, 고용 그 밖의 관계에서 공공기관의 종사자, 사용자 또는 근로자가 그 직위를 이용하거나 업무 등과 관련하여 성적 언동 등으로 성적 굴욕감 또는 혐오감을 느끼게 하거나 성적 언동 그 밖의 요구 등에 대한 불응을 이유로 고용상의 불이익을 주는 것을 말한다.

제25조 (정책과 관행의 개선 또는 시정권고)

① 위원회는 인권의 보호와 향상을 위하여 필요하다고 인정하는 경우 관계 기관 등에 대하여 정책과 관행의 개선 또는 시정을 권고하거나 의견을

표명할 수 있다.

② 제1항 의 규정에 의하여 권고를 받은 기관의
장은 그 권고사항을 존중하고 이행하기 위하여 노
력하여야 한다.

③ 제1항 의 규정에 의하여 권고를 받은 기관의
장이 그 권고내용을 이행하지 않을 경우 그 이유
를 위원회에 문서로 설명하여야 한다.

④ 위원회는 필요하다고 인정하는 경우 제1항 의
규정에 의한 위원회의 권고와 의견표명 및 제3항
의 규정에 의하여 권고를 받은 기관의 장이 설명
한 내용을 공표할 수 있다.

제30조 (위원회의 조사대상)

① 다음 각 호의 어느 하나에 해당하는 경우에 인
권침해나 차별행위를 당한 사람(이하 '피해자'라
한다) 또는 그 사실을 알고 있는 사람이나 단체는
위원회에 그 내용을 진정할 수 있다.

1. 국가기관, 지방자치단체 또는 구금·보호시설의
업무수행(국회의 입법 및 법원·'헌법'재판소의 재
판을 제외한다)과 관련하여 '헌법' 제10조 내지

제22조 에 보장된 인권을 침해당하거나 차별행위
를 당한 경우
2. 법인, 단체 또는 사인(私人)에 의하여 차별행위
를 당한 경우
② 삭제
③ 위원회는 제1항 의 진정이 없는 경우에도 인권
침해나 차별행위가 있다고 믿을 만한 상당한 근거
가 있고 그 내용이 중대하다고 인정할 때에는 이
를 직권으로 조사할 수 있다.
④ 제1항 의 규정에 의한 진정의 절차와 방법에
관하여 필요한 사항은 위원회의 규칙으로 정한다.

제42조 (조정)

④ 조정에 갈음하는 결정에는 다음 각 호의 1의
사항을 포함시킬 수 있다.
1. 조사대상 인권침해나 차별행위의 중지
2. 원상회복·손해배상 그 밖의 필요한 구제조치
3. 동일 또는 유사한 인권침해나 차별행위의 재발
을 방지하기 위하여 필요한 조치

제44조 (구제조치 등의 권고)

① 위원회가 진정을 조사한 결과 인권침해나 차별행위가 일어났다고 판단하는 때에는 피진정인, 그 소속기관·단체 또는 감독기관(이하 '소속기관 등'이라 한다)의 장에게 다음 각 호의 사항을 권고할 수 있다.
1. 제42조 제4항 각 호 에 정한 구제조치의 이행
2. 법령·제도·정책·관행의 시정 또는 개선
② 제1항 의 규정에 의하여 권고를 받은 소속기관 등의 장에 관하여는 제25조 제2항 내지 제4항 의 규정을 준용한다.

제45조 (고발 및 징계권고)

① 위원회는 진정을 조사한 결과 진정의 내용이 범죄행위에 해당하고 이에 대하여 형사처벌이 필요하다고 인정할 때에는 검찰총장에게 그 내용을 고발할 수 있다. 다만, 피고발인이 군인 또는 군무원인 경우에는 소속 군 참모총장 또는 국방부장관에게 고발할 수 있다.
② 위원회가 진정을 조사한 결과 인권침해가 있다고 인정할 때에는 피진정인 또는 인권침해에 책임

이 있는 자에 대한 징계를 소속기관 등의 장에게 권고할 수 있다.

③ 제1항 의 규정에 의하여 고발을 받은 검찰총장, 군 참모총장 또는 국방부장관은 고발을 받은 날부터 3월 이내에 수사를 종료하고 그 결과를 위원회에 통보하여야 한다. 다만, 3월 이내에 수사를 종료하지 못할 때에는 그 사유를 소명하여야 한다.

④ 제2항 의 규정에 의하여 위원회로부터 권고를 받은 소속기관 등의 장은 이를 존중하여야 하며 그 결과를 위원회에 통보하여야 한다.

■ 구 남녀차별금지 및 구제에 관한 법률 (2005. 3. 24. 법률 제7422호로 폐지되기 전의 것)

제7조 (성희롱의 금지등)

① 공공기관의 종사자, 사용자 및 근로자는 성희롱을 하여서는 아니된다.

② 공공기관의 장 및 사용자는 대통령령이 정하는 바에 의하여 성희롱의 방지를 위하여 교육을 실시하는 등 필요한 조치를 하여야 하며, 공공기관의 장은 그 조치결과를 여성가족부장관에게 제출하여

야 한다.

③ 공공기관의 장 및 사용자는 당해 직장에서 성희롱과 관련된 피해의 주장이 제기된 경우에 그 피해를 입었다고 주장하는 자, 성희롱의 사실조사에 협조한 자 등에 대하여 근무여건상 불이익한 조치를 하여서는 아니된다.

④ 성희롱은 남녀차별로 본다.

제28조 (시정조치의 권고 및 의견표명)

① 위원회는 제22조 의 규정에 의한 조사의 결과 남녀차별사항에 해당한다고 인정할만한 상당한 이유가 있을 때에는 남녀차별임을 결정하고 당해 공공기관의 장 또는 사용자에게 시정을 위하여 필요한 조치를 권고하여야 한다.

■ 남녀차별금지 및 구제에 관한 법률 (2005. 3. 24. 법률 제7422호)

남녀차별금지 및 구제에 관한 법률은 이를 폐지한다.

부칙

① (시행일) 이 법은 법률 제7413호 정부조직법 일부개정법률 부칙 제1조 제1호 의 규정에 의한 여성가족부의 조직에 관한 대통령령이 시행되는 날부터 시행한다. 다만, '남녀차별금지 및 구제에 관한 법률' 제2조 제2호 내지 제4호 및 제7조 제2항 은 계속 효력을 가진다.

② (남녀차별개선위원회의 사무에 관한 경과조치) 이 법 시행 당시 남녀차별개선위원회의 남녀차별 개선사무는 국가인권위원회가 승계한다.

다. 주위적 청구의 적법 여부에 관하여

구 남녀차별금지 및 구제에 관한 법률(2005. 3. 24. 법률 제7422호로 폐지되기 전의 것) 제28조 제1항 은 "남녀차별개선위원회는 조사의 결과 남녀차별사항에 해당한다고 인정할 만한 상당한 이유가 있을 때에는 남녀차별임을 결정하고 당해 공공기관의 장 또는 사용자에게 시정을 위하여 필요한 조치를 권고하여야 한다."라고 규정하여 성희롱결정과 이에 따른 시정조치의 권고가 불가분의 일체로 행해지는 것이므로 시정조치의 권고뿐 아니라 성희롱결정도 행정처분에 해당한다고 보아야 할 것이나(대법원 2005. 7. 8. 선고 2005두487 판결 등 참조), 국가인권위원회법 제44조(구제조치 등의 권고) 제1항 은 "위원회가 진정을 조사한 결과 인권침해나 차별행위가 일어났다고 판단하는 때에는 피진정인, 그 소속기관·단체 또는 감독기관의 장에게 다음 각 호의 사항을 권고할 수 있다."라고 하여 시정조치의 권고에 관하여만 규정하고 피고 위원회의 권고조치를 위한 결정에 관하여는 별도의 근거 규정을 두고 있지 않은바, 그렇다면 피고 산하 차별시정위원회가 2006. 8. 29. 심의의결을 거쳐 행한 이 사건 결정은 합의제 행정기관인 피고가 그 의사를 내부적으로 형성하고, 그 결과에 따라 원고 및 이 사건 회사 대표이사에게 이 사건 권고처분을 하기 위한 중간단계의 과정에 불과하고, 이 사건 결정 자체로서 국민의 권리의무에 어떠한 변동도 가져오는 것이 아니므로 행정처분이 아니어서 항고소송의 대상이 될 수 없다 할 것이고, 따라서 원고의 주위적 청구에 대한 소는 부적법하다.

라. 피고의 원고에 대한 인권교육수강권고처분취

소청구의 적법 여부에 관하여

항고소송의 대상은 행정청의 처분이고(행정소송법 제19조), 행정처분이란 행정청이 행하는 구체적 사실에 관한 법집행으로서의 공권력의 행사 또는 그 거부와 그 밖에 이에 준하는 행정작용을 말한다(행정소송법 제2조 제1항 제1호).

국가인권위원회법에 의하면, 국가인권위원회가 진정을 조사한 결과 인권침해나 차별행위가 일어났다고 판단하는 때에는 피진정인에게 제42조 제4항 각 호 에 정한 구제조치의 이행, 법령·제도·정책·관행의 시정 또는 개선을 권고할 수 있을 뿐(제44조 제1항), 피진정인이 위와 같은 권고를 이행하지 아니하였을 때 어떠한 불이익한 제재를 가할 수도 없고, 위와 같은 권고가 피진정인의 권리를 제약하거나 의무를 부과하는 것이 아니며, 피진정인의 법률상 이익을 개별적·구체적으로 규제하는 효과가 있는 것도 아니므로, 피고가 2006. 9. 14. 원고에 대하여 한 인권교육수강권고는 행정소송의 대상이 되는 행정처분에 해당하지 아니한다.

마음의 상처 성희롱, 치유로서의 법학의 대흥

따라서 원고의 예비적 청구 중 피고가 원고에 대하여 한 인권교육수강권고처분취소의 소는 부적법하다.

마. 피고의 이 사건 회사 대표이사에 대한 인사조치권고처분취소청구에 관하여

(1) 원고적격

행정소송법 제12조 에서 말하는 법률상 이익이란 당해 행정처분의 근거 법률에 의하여 보호되는 직접적이고 구체적인 이익을 말하고 당해 행정처분과 관련하여 간접적이거나 사실적·경제적 이해관계를 가지는 데 불과한 경우는 여기에 포함되지 아니하나, 행정처분의 직접 상대방이 아닌 제3자라 하더라도 당해 행정처분으로 인하여 법률상 보호되는 이익을 침해당한 경우에는 취소소송을 제기하여 그 당부의 판단을 받을 자격이 있다(대법원 2007. 1. 25. 선고 2006두12289 판결 참조).

국가인권위원회법은 국가인권위원회가 진정을 조

사한 결과 인권침해나 차별행위가 일어났다고 판단하는 때에는 소속기관의 장에게 제42조 제4항 각 호에 정한 구제조치의 이행, 법령·제도·정책·관행의 시정 또는 개선을 권고할 수 있도록 규정하고 있고(제44조 제1항), 이 사건에서 피고는 이 사건 회사 대표이사에게 원고와 소외 1 이 같은 공간에서 근무하지 않도록 조치할 것을 권고하였고, 뒤에서 보는 바와 같이 위 권고는 이 사건 회사 대표이사에게 일정한 법률상의 의무를 부담시키는 것이며, 위와 같은 권고에 따라 위 회사 대표이사가 원고에게 전보조치를 한다면 원고로서는 이에 따라야 할 근로계약상 의무가 발생한다.

그렇다면 원고로서는 피고의 이 사건 대표이사에 대한 권고에 관하여 법률상 보호되는 직접적이고 구체적인 이익을 향유하므로 위 처분의 취소소송을 제기할 원고적격이 있다.

(2) 행정처분인지 여부

국가인권위원회법은 시정권고를 받은 기관의 장은 그 권고사항을 존중하고 이행하기 위하여 노력하

여야 하고(제25조 제2항), 권고를 받은 기관의
장이 그 권고내용을 이행하지 않을 경우 그 이유
를 위원회에 문서로 설명하여야 하며(제3항), 위
원회는 필요하다고 인정하는 경우 위원회의 권고
와 의견표명 및 권고를 받은 기관의 장이 설명한
내용을 공표할 수 있도록 규정하고 있다(제4항).

이에 의하면 국가인권위원회의 시정권고는 사용자
에게 일정한 법률상의 의무를 부담시키는 것이므
로, 피고가 2006. 9. 14. 이 사건 회사 대표이사
에 대하여 한 시정조치권고는 행정소송의 대상이
되는 행정처분에 해당한다.

(3) 차별행위인지 여부

국가인권위원회법 제2조 제4호 는 '평등권침해의
차별행위'라 함은 합리적인 이유 없이 성별 등을
이유로 한 다음 각 목의 어느 하나에 해당하는 행
위를 말한다고 규정하고, (라)목 에서는 차별행위
의 한 유형으로서 성희롱행위를 규정하고 있는바,
이 사건에서 문제가 된 원고의 행위가 과연 위 규
정상 차별행위인지 여부에 관하여 본다.

구 남녀차별금지 및 구제에 관한 법률(2005. 3. 24. 법률 제7422호로 폐지되기 전의 것) 제7조 제4항 은 "성희롱은 남녀차별로 본다"고 규정하였으나, 위 규정은 2005. 3. 24. 법률 제7422호로 폐지되었고, 위 폐지법률 부칙 제1항 은 제2조 제2호 내지 제4호 , 제7조 제2항 은 계속 효력을 가진다고 규정하면서도 제7조 제4항 에 대하여는 위와 같은 규정을 두지 않았다. 따라서 2005. 3. 24. 이전에는 모든 성희롱행위는 곧바로 남녀차별행위로 간주되었으나, 2005. 3. 25.부터는 모든 성희롱행위가 곧바로 남녀차별행위로서 평등권침해의 차별행위가 되는 것이 아니고, 합리적인 이유 없는 성별(피고는 이 사건 성희롱행위가 성별에 의한 차별행위라고 주장한다.)에 의한 차별행위에 해당하는 경우에만 평등권침해의 차별행위가 되어 국가인권위원회법에 의한 권고를 할 수 있고, 그 점에 대한 입증책임은 피고가 부담한다.

그러나 피고 제출의 증거만으로는 원고의 행위가 소외 1 을 합리적인 이유 없이 성별에 의하여 차별한 것이라는 점을 인정하기에 부족하고, 달리 이를 인정할 증거가 없으므로, 이를 전제로 한 피고의 이 사건 회사 대표이사에 대한 인사조치권고처분은 나머지 점에 관하여 더 나아가 살펴볼 필요 없이 위법하다.

3. 결 론

그렇다면 이 사건 소 중 주위적 청구에 관한 부분 및 예비적 청구에서 피고가 원고에 대하여 한 인권교육수강권고처분취소를 구하는 부분은 부적법하므로 이를 각 각하하고, 원고의 이 사건 예비적 청구 중 피고의 2006. 9. 14.자 이 사건 회사 대표이사에 대한 인사조치권고처분의 취소를 구하는 부분은 이유 있어 이를 받아들이기로 하여, 주문과 같이 판결한다.

판사 정종관(재판장) 홍성욱 권창영

제 8 장

직장 내 괴롭힘과 성희롱

[1] 민사상 불법행위책임의 원인이 되는 '성희롱' 및 '직장 내 괴롭힘'의 의미

[2] 갑 대학교 어린이병원 후원회의 계약직 직원인 을이 갑 대학교병원의 외래진료교수이자 후원회의 이사인 병을 상대로 신체적·언어적 성희롱 및 직장 내 괴롭힘 등을 이유로 손해배상을 구한 사안에서, 제반 사정에 비추어 을의 주장 내용이 사실일 고도의 개연성이 증명되었다고 볼 여지가 충분하고, 병의 행위는 '직장 내 괴롭힘'이자 '성

희롱'에 해당하여 을에 대한 민사상 불법행위책임의 원인이 될 수 있는데도, 이와 달리 본 원심판결에 심리미진 등의 잘못이 있다고 한 사례
]

【참조조문】
[1] 민법 제750조 , 제751조 , 양성평등기본법 제3조 제2호 / [2] 민법 제750조 , 제751조 , 양성평등기본법 제3조 제2호
【참조판례】
[1] 대법원 2018. 4. 12. 선고 2017두74702 판결 (공2018상, 909), 대법원 2021. 9. 16. 선고 2021다219529 판결 (공2021하, 2051)
【전문】
【원고, 상고인】 원고 (소송대리인 변호사 이은의)
【피고, 피상고인】 피고 (소송대리인 변호사 김종훈 외 1인)
【대상판결】
【원심판결】 서울중앙지법 2020. 9. 18. 선고 2019나54179 판결
【주문】
원심판결을 파기하고, 사건을 서울중앙지방법원에

환송한다.
【이유】
상고이유(상고이유서 제출기간이 지난 다음 제출된 상고이유보충서는 상고이유를 보충하는 범위에서)를 판단한다.

1. 성희롱이란 업무, 고용, 그 밖의 관계에서 국가기관·지방자치단체, 각급 학교, 공직유관단체 등 공공단체의 종사자, 직장의 사업주·상급자 또는 근로자가 지위를 이용하거나 업무 등과 관련하여 성적 언동 또는 성적 요구 등으로 상대방에게 성적 굴욕감이나 혐오감을 느끼게 하는 행위 또는 상대방이 성적 언동 또는 요구 등에 따르지 아니한다는 이유로 불이익을 주거나 그에 따르는 것을 조건으로 이익 공여의 의사표시를 하는 행위를 하는 것을 말한다. 여기에서 '성적 언동'이란, 남녀 간의 육체적 관계나 남성 또는 여성의 신체적 특징과 관련된 육체적, 언어적, 시각적 행위로서 사회공동체의 건전한 상식과 관행에 비추어 볼 때, 객관적으로 상대방과 같은 처지에 있는 일반적이고도 평균적인 사람으로 하여금 성적 굴욕감이나

혐오감을 느끼게 할 수 있는 행위를 의미한다 (
대법원 2018. 4. 12. 선고 2017두74702 판결 ,
대법원 2021. 9. 16. 선고 2021다219529 판결
참조). 또 이러한 지위에 있는 사람이 직장에서의
지위 또는 관계 등의 우위를 이용하여 업무상 적
정범위를 넘어 다른 근로자에게 신체적·정신적 고
통을 주거나 근무환경을 악화시켰다면, 이는 위법
한 '직장 내 괴롭힘'으로서 피해 근로자에 대한
민사상 불법행위책임의 원인이 된다 .

2. 원고는 이 사건 청구원인으로, ① 2015. 4. 3.
부터 2015. 10.경까지 사이에 (병원명 생략) 외래
진료실에서의 신체적 성희롱, ② 2015. 10. 15.
(주소 생략) 소재 (상호 생략) 골프장 클럽하우스
내 VIP룸에서의 신체적 성희롱, ③ 위 ②항과 같
은 일시·장소에서 원고의 몸을 위아래로 훑어보며
원고에게 "너는 피부가 하얗다. 몸매가 빼빼 말랐
었는데, 요즘은 살이 쪘다.", "네 다리가 가늘고
새하얗다. 화이트닝 크림을 바르냐? 몸에 잔털을
쉐이빙하냐?", "너 요즘 남자친구가 생겼냐? 왜
이렇게 살이 쪘냐? 일도 제대로 안하고 정신은 다

른 데 팔려 있지."라는 등으로 말한 언어적 성희롱, ④ 위 ②항과 같은 일시·장소에서 원고에게 회초리를 맞아야 한다며 원고로 하여금 원고를 칠 회초리로 쓸 나뭇가지를 구해 오도록 하고, 원고가 구해 온 나뭇가지를 부러뜨려 부러진 나뭇가지로 원고의 엉덩이를 폭행하였으며, 원고의 어깨를 밀치는 등의 직장 내 괴롭힘, ⑤ 원고를 상습적으로 모욕한 직장 내 괴롭힘, ⑥ 2015. 10. 15. 저녁 위 골프장에서 서울로 돌아오는 승용차 안에서의 신체적 성희롱, ⑦ 이후 원고 등을 증거변조 및 변조증거행사로 무고한 '2차 가해'가 각각 원고에 대한 불법행위를 구성한다고 주장하였고, 이에 대하여 원심은 증거가 부족하다는 이유로 원고의 주장을 모두 인정할 수 없다고 판단하였다.

3. 그러나 원심의 위와 같은 판단은 다음과 같은 이유로 그대로 수긍하기 어렵다.

가. 기록에 의하면, 다음과 같은 사실을 알 수 있다.

① 원고는 2014. 3.경부터 (병원명 생략) 어린이 병원 후원회(이하 '후원회'라고 한다)의 계약직 직원으로 후원회에서 지원할 어린이 환자의 선정과 지원범위 결정 등의 업무를 맡아 왔고, 피고는 (병원명 생략) 의 외래진료교수이자 후원회의 이사로서, 후원회의 행사를 스스로 기획·진행하면서 후원회 직원들에게 직접 업무 지시를 하거나 그와 관련하여 후원회 직원들을 심하게 질책하기도 하였다.

② 원고는 후원회가 주최하는 자선골프행사 당일인 2015. 10. 15. 아침에 피고의 집 주변에서 피고가 운전하는 승용차에 탑승하여 행사장소인 위 골프장까지 동행하였고, 이후 행사 진행을 위하여 제공된 위 골프장 클럽하우스 내 VIP룸에서 피고의 업무를 보조하였으며, 당일 저녁 행사 종료 후 피고의 집 주변까지 대리기사가 운전하는 피고의 승용차 뒷자리에 피고와 나란히 동승하였다.

③ 원고는 위 행사 다음 날인 2015. 10. 16. 오전에 후원회 사무국장인 소외 1 을 찾아가 '전날 위 VIP룸 및 행사 종료 후 피고의 승용차 안에서 추

행을 당한 것을 비롯하여 그동안 피고에게 성폭력 피해를 입었다.'는 취지로 말하였고, 같은 날 오후에는 소외 1 의 지시에 따라 그동안 피고로부터 입었다는 피해 내용을 정리한 표(이하 '피해내용 정리표'라고 한다)를 엑셀 파일로 작성하여 소외 1 에게 전송하였으며, 2015. 10. 27. 경찰에 위각 성추행 피해사실 등에 관한 고소장을 제출하였다. 위 피해내용 정리표와 고소장에는 위 청구원인 중 2차 가해를 제외하고 이 사건 청구원인으로 주장된 피해의 내용과 경위가 구체적으로 기재되어 있다.

④ 피고는 2015. 10. 15. 위 VIP룸에서의 업무상 위력에 의한 강제추행 등으로 공소제기되어 제1심에서 무죄를 선고받았고, 검사의 항소를 기각한 항소심판결에 대하여 검사가 상고하지 않아 무죄판결이 확정되었다(이하 '관련 형사사건'이라고 한다). 관련 형사사건의 공소사실은 성적 언동이나 성적 요구 등 성희롱에 관한 것이 아니라 피고가 업무, 고용의 관계로 인하여 자기의 보호, 감독을 받는 원고를 위력으로 추행하였다는 것이다.

⑤ 관련 형사사건에서 원고의 진술은 피해내용 정리표 및 고소장의 기재 내용이나 이 사건 각 청구원인 주장과 별다른 차이가 없이 일관되어 있다. 한편 피고는 관련 형사사건에서 원고에 대한 추행 사실을 부인하면서, 2015. 10. 15. 위 VIP룸에서의 상황에 관하여 다음과 같이 구체적으로 진술하였다.

㉮ 원고에게 '원고가 자선만찬행사를 망쳤으니 회초리를 맞아야 한다.'며 회초리감으로 쓸 나무를 구해 오라고 한 사실이 있다. ㉯ 그러자 원고가 VIP룸을 나가 길이가 1m가 넘는 커다란 나뭇가지를 구해 왔다. ㉰ 나뭇가지를 들고 VIP룸으로 돌아온 원고에게 '몇 대 맞겠냐?'고 묻자 원고가 '3대만 맞겠다.'고 하여, 피고가 그 나뭇가지를 부러뜨렸다. ㉱ 이때 원고가 우는 듯한 모습을 보여서 원고에게 '울려서 미안하다.'며 사과하였다. ㉲ 그 후로도 원고가 계속 우는 듯한 시늉을 하며 고개를 숙이기에 더 이상 고개를 숙이지 못하도록 손으로 원고의 어깨를 막으면서 고개를 숙여 원고

얼굴에 가까이 대고 보니, 원고가 웃고 있는 것 같아, 원고의 팔꿈치 윗부분을 잡아 밀쳐 버렸다. ㉑ 이 과정에서 원고에게 살집이 있는 것을 알게 되어 원고에게 '살이 쪘다.'는 취지로 말하였다. ㉒ 같은 날, 같은 장소에서 원고에게 원고의 종아리 부위, 원고의 남자친구 유무, 원고의 피부와 피부 관련 제품 사용에 관한 발언을 한 적이 있고, 위 골프장에서 온천수를 사용하여 목욕을 하도록 권유한 적이 있다.

⑥ 피고는 그 뒤로 관련 형사사건에서의 위와 같은 진술을 번복하지 않은 것으로 보이고, 이 사건에서도 '위 각 진술이 착오에 의한 것이라거나 객관적 진실과 다르다.'는 취지로 주장한 적이 없다.

나. 위와 같은 사실관계를 앞서 본 법리에 비추어 살펴본다.
위 자선행사 당일 VIP룸에서의 직장 내 괴롭힘으로 주장된 사실관계는 피고도 대부분 다투지 않는 것으로 보이고, 그중 상당부분은 피고가 관련 형사사건에서 적극적으로 인정하기까지 하였다. 또 원고 진술 및 피해내용 정리표 기재 내용의 구체성·일관성, 원고가 후원회에 피해사실을 신고하고 수사기관에 피고를 고소한 시점과 경위 및 관련 형사사건에서 진술을 비롯한 피고의 대응을 종합하면, 같은 일시·장소에서의 언어적 성희롱에 관한 원고의 주장도 그 주장 내용이 사실일 고도의 개연성이 증명되었다고 볼 여지가 충분하다.

나아가 직장 내 괴롭힘이나 언어적 성희롱에 해당한다고 주장된 피고의 행위는, 고용 관계에서 직장의 상급자인 피고가 그 지위를 이용하여 업무상 적정범위를 넘어 근로자인 원고에게 신체적·정신적 고통을 준 '직장 내 괴롭힘'이자 그 지위를 이용하여 여성인 원고의 신체적 특징이나 남녀 간의 육체적 관계와 관련된 육체적·언어적 행위로서 원고에게 성적 굴욕감이나 혐오감을 느끼게 하는 성희롱에 해당하고, 따라서 원고에 대한 민사상 불법행위책임의 원인이 될 수 있다.

다. 그럼에도 이 사건 청구원인 주장 전부를 배척한 원심판결에는 논리와 경험의 법칙을 위반하여 자유심증주의의 한계를 벗어나거나 직장 내 괴롭힘 또는 성희롱에 관한 법리를 오해하여 필요한 심리를 하지 않음으로써 판결에 영향을 미친 잘못이 있다. 이 점을 지적하는 상고이유 주장은 이유 있다.

라. 사건을 환송받은 법원은, 원고가 위 자선골프 행사 현장 지원과 관련하여 후원회 직원인 소외 2, 소외 3 등과 주고받은 사내 메신저 내용, 피해 내용 정리표, 소외 1 이 원고로부터 피해 내용을 신고받은 뒤에 녹음한 원고, 피고 및 (병원명 생략) 어린이병원 원장으로 후원회 운영위원장을 겸임한 소외 4 와 사이의 각 대화 녹취록, 피고가 이 사건으로 수사를 받으면서 경찰에 제출한 사건 개요 등 관련 증거를 종합하고, 관련 형사사건에서 원고, 피고, 소외 1 등이 한 각 진술의 객관적 합리성, 구체성, 일관성을 비교하며, 위 자선골프 행사를 전후하여 원고와 피고 및 소외 4 등 (병원명 생략) 측 관계자들의 행태를 면밀히 대조하여 각 진술의 신빙성과 증거가치를 평가한 다음, 원고가 주장하는 각각의 불법행위 사실에 대한 증명 여부를 심리·판단하여야 할 것임을 지적하여 둔다.
4. 그러므로 나머지 상고이유 주장에 대한 판단을

생략한 채 사건을 다시 심리·판단하도록 원심법원
에 환송하기로 하여, 관여 대법관의 일치된 의견
으로 주문과 같이 판결한다.

제 9 장

교사의 성희롱과 징계

사립학교 교원에 대한 징계처분이 재량권의 일탈·
남용에 해당하는지 판단하는 기준 / 사립학교 교
원징계위원회가 징계양정을 하는 경우 및 교원소
청심사위원회가 징계양정의 적정 여부를 판단하는
경우, 교육공무원 징계양정 등에 관한 규칙을 참
작할 수 있는지 여부(적극) 및 이때 위 규칙이 적
용 또는 준용되지 않는다는 이유만으로 곧바로 징
계처분이 재량권 일탈·남용에 해당하게 되는지 여
부(소극)

【참조조문】
사립학교법 제66조 , 사립학교법 시행령 제25조
의2 제1항 , 사립학교 교원 징계규칙 제2조 제1
항

【참조판례】
대법원 1999. 8. 20. 선고 99두2611 판결 (공
1999하, 1903)

【전문】
【원고, 피상고인】 원고 (소송대리인 법무법인(유
한) 세종 담당변호사 유무영 외 1인)
【피고, 상고인】 교원소청심사위원회
【피고보조참가인】 학교법인 삼육학원

【대상판결】
【원심판결】 서울고법 2021. 12. 17. 선고 2021누

30749 판결

【주문】

원심판결을 파기하고, 사건을 서울고등법원에 환송한다.

【이유】

상고이유를 판단한다.

1. 사건의 경위와 원심의 판단

가. 원심판결 이유와 기록에 의하면, 다음과 같은 사정들을 알 수 있다.

1) 피고보조참가인은 2019. 2. 18. 원고가 소속 학과 학생들에게 다음과 같은 비위행위를 포함하여 수차례 성희롱 및 강제추행 등을 하였고 이는 구 사립학교법(2019. 4. 16. 법률 제16310호로 개정되기 전의 것, 이하 '구 사립학교법'이라고 한다) 제61조 제1항 제1호 내지 제3호 , 제55조 , 국가공무원법 제63조 , 「삼육대학교 교원인사규정 시행세칙」 제29조 제1항 제1호 내지 제4호의 징계사유에 해당한다는 이유로 원고를 해임하였다 (이하 '이 사건 해임'이라고 한다).

가) 여성비하 발언 및 여학생들에 대한 성희롱

① 수업 중 소외 1 학생에게 "너는 치마가 짧으니까 남자가 좋아하겠다. 결혼 빨리 하겠네.", "나는 너같은 빨강색이 좋아. 너 입술색.", "여자는 허벅지가 붙어야 이쁘다. 너는 매력이 없다."라고 말하였다.

② 수업 중 여학생들에게 "6명은 낳아라.", "너희는 애를 낳으려면 몸을 불려야 한다."라고 말하였다.

③ 소외 2 학생에게 "그렇게 비치는 옷을 입으니 살랑살랑하니 다리가 예뻐 보인다."라고 말하였다.

④ 수업 중 "여자들은 벗고 다니기를 좋아해서 여름을 좋아한다."라고 말하였다.

나) 여학생에 대한 강제추행

① 복도에서 소외 1 학생의 머리를 쓰다듬다가 순간적으로 허리 부분까지 터치하였다.

② 수업 중 소외 1 학생이 거부의사를 밝혔음에도 외국식 인사라며 강제로 악수를 하게 하였고, 학

생이 이를 이행하지 않자 일정 시간 동안 수업을 진행하지 않았다.

2) 원고는 이 사건 해임에 불복하여 2019. 3. 18. 피고에게 소청심사를 청구하였고, 피고는 2019. 6. 5. 위 징계사유가 모두 인정되고 징계양정도 적정하다고 보아 원고의 청구를 기각하는 결정을 하였다.

나. 원심은, 원고의 비위 정도가 중하다고 보기 어렵다는 점, 「교육공무원 징계양정 등에 관한 규칙」에서 정한 징계기준이 이 사건 해임에는 적용되지 않는다는 점, 설령 이 사건 해임 당시 시행되던 구 「교육공무원 징계양정 등에 관한 규칙」(2019. 3. 18. 교육부령 제178호로 개정되기 전의 것, 이하 '이 사건 규칙'이라고 한다)을 준용할 수 있다고 보더라도 '비위의 정도가 약하고 중과실인 경우'에 해당한다고 볼 수 있거나, 명백히 「성폭력범죄의 처벌 등에 관한 특례법」 제2조 에 따른

성폭력범죄 행위에 해당하지는 않는다고 볼 여지가 있어 위 징계사유가 반드시 파면 내지 해임의 중징계 사유에 해당한다고 단정하기도 어렵다는 점 등의 이유를 들어 이 사건 해임은 사회통념상 현저하게 타당성을 잃어 징계재량권을 일탈·남용하였다고 봄이 타당하다고 판단하였다.

2. 대법원의 판단

가. 법리

1) 2019. 4. 16. 법률 제16310호로 개정된 사립학교법 제66조 는 사립학교의 교원징계위원회로 하여금 대통령령으로 정하는 징계기준 및 징계의 감경기준 등에 따라 징계의결을 하도록 규정하고, 2019. 10. 8. 대통령령 제30108호로 개정된 사립학교법 시행령 제25조의2 제1항 및 그 위임에 따라 2019. 10. 17. 제정된 「사립학교 교원 징계규칙」 제2조 제1항 은 사립학교 교원의 징계기준에

관하여 「교육공무원 징계양정 등에 관한 규칙」[별표]를 준용한다고 규정하고 있다. 그런데 사립학교법 부칙 제2조 는, 제66조 의 개정규정은 개정법률 시행(2019. 10. 17.) 후 최초로 임용권자가 교원징계위원회에 징계의결을 요구한 경우부터 적용한다고 규정하고 있으므로, 「교육공무원 징계양정 등에 관한 규칙」에서 정한 징계기준이 이 사건 해임에 적용되지는 아니한다.

2) 그러나 사립학교 교원에 대한 징계처분의 양정은 원칙적으로 징계권자의 재량에 맡겨져 있으므로 징계처분이 사회통념상 현저하게 타당성을 잃은 경우에 한하여 위법하다고 할 것이고, 구체적인 사례에 따라 직무의 특성, 징계의 사유가 된 비위사실의 내용과 성질 및 징계에 의하여 달하려는 목적과 이에 수반되는 제반 사정을 참작하여 객관적으로 명백히 부당하다고 인정되어야 한다 (대법원 1999. 8. 20. 선고 99두2611 판결 등 참

조). 따라서 사립학교 교원징계위원회가 징계양정을 하는 경우 및 교원소청심사위원회가 징계양정의 적정 여부를 판단함에 있어 이 사건 규칙을 참작하거나 적어도 교육공무원에 대한 징계와의 형평을 고려하는 것은 충분히 가능하다. 사립학교 교원징계위원회가 당해 징계의결에서 이 사건 규칙을 직접 적용한 것이 아니라 판단자료 중 하나로 이를 참작한 경우 이 사건 규칙이 적용 또는 준용되지 않는다는 이유만으로 곧바로 징계처분이 재량권 일탈·남용에 해당하게 되는 것은 아니다.

3) 이 사건 규칙 제2조 제1항 [별표] 징계기준에 따르면, 성희롱으로 인한 품위유지의무 위반에 관하여 '비위의 정도가 심하고 중과실인 경우 또는 비위의 정도가 약하고 고의가 있는 경우'의 징계는 '파면 또는 해임'으로 하도록 규정하고 있고, 성폭력으로 인한 품위유지의무 위반에 관하여 '비위의 정도가 약하고 고의가 있는 경우'의 징계는 '파면'으로, '비위의 정도가 약하고 중과실인 경

우'의 징계는 '파면 또는 해임'으로 하도록 규정하
고 있다.

나. 이 사건의 판단
원심판결 이유와 기록에 의하여 알 수 있는 다음
과 같은 사정들을 고려하면, 이 사건 해임이 사회
통념상 현저하게 타당성을 잃어 징계양정에 있어
재량권을 남용하였다고 보기는 어렵다.

1) 원고는 대학교수로 높은 직업윤리의식이 요구
되는 지위에 있다.

2) 징계사유로 인정된 원고의 여성비하 발언과 성
희롱은 원고가 장기간에 걸쳐 강의실에서 강의를
하는 도중에 다수의 학생들 앞에서 저지른 것으로
강의 내용과 무관할 뿐만 아니라, 오히려 다수의
발언에는 성적 의도가 내포되어 있거나 성적인 장
면을 연상하게 하는 내용이 포함되어 있다. 강제
추행 역시 강의실과 복도 등 공개된 장소에서 행

하여진 것으로, 피해학생의 머리를 쓰다듬던 손이 허리 부분까지 내려갔고(①행위), 피해학생이 싫다는 의사를 분명히 밝혔음에도 피해학생의 손을 억지로 잡으며 원고 본인의 손에 입을 맞춘 후 피해학생에게도 동일한 행위를 요구한 다음 피해학생이 입을 맞추지 않자 빤히 쳐다보며 수업을 진행하지 않는 방법으로 사실상 위 행위를 강요하였다(②행위). 특정 여학생을 상대로 성희롱 발언①과 강제추행①, ②를 함으로써 그 피해학생에게 성적 수치심과 모욕감을 느끼게 하였다. 위와 같은 비위행위의 기간과 경위, 내용 등에 비추어 볼 때, 원고의 비위 정도가 결코 가볍다고 할 수 없다.

3) 원고의 수업을 들은 학생들이 강의평가를 통해 여성비하 발언, 성희롱, 인신공격, 신체접촉 등에 대하여 지속적으로 이의제기를 해 왔음에도, 원고는 위와 같은 비위행위를 반복하였다.

4) 교원으로서의 신뢰를 실추시킨 원고가 다시 교

단에 복귀한다고 할 때, 이 모습을 교육현장에서 마주하게 될 학생들이 과연 헌법 제31조 제1항이 정하는 국민의 교육을 받을 기본적 권리를 누리는 데에 별다른 지장을 받지 않을 것이라고 단정하기 어렵다.

5) 피고보조참가인은 종교적 교육이념에 입각하여 삼육대학교를 설립하였고, 「삼육대학교 교원인사규정 시행세칙」 제29조 제1항 제4호에는 징계사유로 "본 대학의 설립정신과 소속기관의 제 규정을 고의 또는 중대한 과실로 위반하는 행위를 한 때"가 규정되어 있으며, 원고에 대한 징계사유 중 하나로 위 내용이 포함되어 있다.

6) 이 사건 규칙 제2조 제1항 [별표] 징계기준을 참작해 보더라도, 원고의 성희롱은 고의에 의한 행위이거나 설령 중과실에 의한 행위일지라도 비위의 정도가 심하다고 평가할 수 있고, 강제추행은 고의에 의한 행위로서 파면 또는 해임의 징계

마음의 상처 성희롱, 치유로서의 법학의 대흥

가 가능한 이상, 이 사건 해임이 교육공무원에 대한 징계에 비하여 가혹하다고 볼 수도 없다.

다. 그런데도 원심은, 그 판시와 같은 사정만으로 이 사건 해임에 재량권을 일탈·남용한 위법이 있고, 피고의 소청심사결정은 위법하다고 판단하였다. 이러한 원심판결에는 사립학교 교원에 대한 징계처분에 있어 재량권의 일탈·남용에 관한 법리를 오해하여 판결에 영향을 미친 위법이 있다. 이 점을 지적하는 상고이유 주장은 이유 있다.

3. 결론

그러므로 원심판결을 파기하고, 사건을 다시 심리·판단하도록 원심법원에 환송하기로 하여, 관여대법관의 일치된 의견으로 주문과 같이 판결한다.

대법관 천대엽(재판장) 조재연 민유숙(주심) 이동원